GRAMMAR MENTOR JOY plus 3

지은이 교재개발연구소

발행처 Pearson Education

판매처 inkedu(inkbooks)

전 화 (02) 455-9620(주문 및 고객지원)

팩 스 (02) 455-9619

등 록 제13-579호

그래머
멘토
조이
플러스
셋

GRAMMAR MENTOR JOY

plus 3

Preface

선택이 중요합니다!

인생에 수많은 선택이 있듯이 많은 시간 함께할 영어 공부의 시작에도 수많은 선택이 있습니다. 오늘 여러분의 선택이 앞으로의 여러분의 영어실력을 좌우합니다. Grammar Mentor Joy 시리즈는 현장 경험이 풍부한 선생님들과 이전 학습자들의 의견을 충분히 수렴하여 여러분의 선택에 후회가 없도록 하였습니다.

효율적인 학습이 필요한 때입니다!

학습의 시간은 유한합니다. 중요한 것은 그 시간을 얼마나 효율적으로 사용하는지입니다. Grammar Mentor Joy 시리즈는 우선 튼튼한 기초를 다지기 위해서 단계별 Syllabus를 현행 교과과정과 연계할 수 있도록 맞춤 설계하여 학습자들이 효율적으로 학습할 수 있도록 하였습니다. 또한 기존의 기계적 반복 학습 문제에서 벗어나 학습자들이 능동적 학습을 유도할 수 있도록 사고력 향상이 필요한 문제와 난이도를 조정하였습니다.

중학 기초 문법을 대비하는 교재입니다!

Grammar Mentor Joy 시리즈는 확고한 목표를 가지고 있습니다. 그것은 중학교 문법을 완벽하게 준비하는 것입니다. Grammar Mentor Joy 시리즈에서는 문법 기초를 확고하게 다루고 있기 때문에 중학교 문법은 새로운 것이 아닌 Grammar Mentor Joy 시리즈의 연장선에 지나지 않습니다. 또한 가장 힘들 수 있는 어휘 학습에 있어서도 반복적인 문제 풀이를 통해서 자연스럽게 기초 어휘를 학습하도록 하였습니다.

마지막으로 어떤 기초 교재보다도 처음 영어 문법을 시작하는 학습자들에게 더없이 완벽한 선택이 될 수 있다고 자신합니다. 이 교재를 통해서 영어가 학습자들의 평생 걸림돌이 아닌 자신감이 될 수 있기를 바랍니다. 감사합니다.

Guide to *Grammar Mentor Joy Plus Series*

❶ 단계별 학습을 통한 맞춤식 문법 학습

　－ 각 Chapter별 Unit에는 세부 설명과 Warm-up, Start up, Check up & Writing, Level Up, Actual Test, Review Test, Achievement Test, 마지막으로 실전모의 테스트로 구성되어 있습니다.

❷ 서술형 문제를 위한 체계적인 학습

　－ Check up & Writing에서는 서술형 문제에 대비할 수 있도록 하고 있습니다.

❸ 단순 암기식 공부가 아닌 사고력이 필요한 문제 풀이 학습

　－ 단순 패턴 드릴 문제가 아닌 이전 문제들을 함께 섞어 제시하고 있어 사고력 향상이 도움이 되도록 하였습니다.

❹ 반복적인 학습을 통해 문제 풀이 능력을 향상시킴

　－ 세분화된 Step으로 반복 학습이 가능합니다.

❺ 맞춤식 어휘와 문장을 통한 체계적인 학습

　－ 학습한 어휘와 문장을 반복적으로 제시하고 있어 무의식적으로 습득이 가능합니다.

❻ 중학 기초 문법을 대비하는 문법 학습

　－ 중학 문법에서 다루는 기초 문법을 모두 다루고 있습니다.

❼ 반복적인 문제풀이를 통한 기초 어휘 학습

　－ Chapter별 제공되는 단어장에는 자주 쓰는 어휘들을 체계적으로 제시하고 있습니다.

Syllabus

Grammar Mentor Joy Plus 시리즈는 전체 4권으로 구성되어 있습니다. 각 Level이 각각 6개의 Chapter 총 6주의 학습 시간으로 구성되어 있는데, 특히 Chapter 3과 Chapter 6은 Review와 Achievement Test로 반복 복습할 수 있도록 구성되어 있습니다. 부가적으로 단어장과 전 시리즈가 끝난 후 실전 모의고사 테스트 3회도 제공되고 있습니다.

Level	Month	Week	Chapter	Unit	Homework
1	1st	1	1 be동사	Unit 01 be동사의 현재형과 과거형	*각 Chapter별 단어 퀴즈 제공 *각 Chapter별 드릴 문제 제공 *각 Chapter별 모의 테스트지 제공
				Unit 02 be동사의 부정문과 의문문	
				Unit 03 There is / There are	
		2	2 일반동사	Unit 01 일반동사의 현재형	
				Unit 02 일반동사의 과거형	
				Unit 03 일반동사의 부정문	
				Unit 04 일반동사의 의문문	
		3	3 시제	Unit 01 진행 시제	
				Unit 02 현재완료 시제	
			Review/Achievement Test		
		4	4 조동사 Ⅰ	Unit 01 can과 be able to	
				Unit 02 may, must	
				Unit 03 have to, should	
	2nd	5	5 조동사 Ⅱ	Unit 01 will, be going to	
				Unit 02 would like to, had better, used to	
		6	6 문장의 형태	Unit 01 1형식, 2형식 문장	
				Unit 02 3형식, 4형식 문장	
				Unit 03 5형식 문장	
			Review/Achievement Test		
2		1	1 명사	Unit 01 셀 수 있는 명사	*각 Chapter별 단어 퀴즈 제공 *각Chapter별 드릴 문제 제공 *각 Chapter별 모의 테스트지 제공
				Unit 02 셀 수 없는 명사	
				Unit 03 명사의 격	
		2	2 관사	Unit 01 부정관사 a, an	
				Unit 02 정관사 the와 관사를 쓰지 않는 경우	
	3rd	3	3 대명사 Ⅰ	Unit 01 인칭대명사	
				Unit 02 지시대명사와 비인칭 주어 it	
				Unit 03 재귀대명사	
			Review/Achievement Test		
		4	4 대명사 Ⅱ	Unit 01 부정대명사 Ⅰ	
				Unit 02 부정대명사 Ⅱ	
				Unit 03 부정대명사 Ⅲ	
		5	5 형용사와 부사	Unit 01 형용사	
				Unit 02 부사	
		6	6 비교	Unit 01 비교급, 최상급 만드는 법	
				Unit 02 원급, 비교급, 최상급	
				Unit 03 비교 구문을 이용한 표현	
			Review/Achievement Test		

Level	Month	Week	Chapter	Unit	Homework
3	4th	1	1 to부정사	Unit 01 to부정사의 명사적 쓰임	*각 Chapter별 단어 퀴즈 제공
				Unit 02 to부정사의 형용사적 쓰임	
				Unit 03 to부정사의 부사적 쓰임	
				Unit 04 to부정사의 관용 표현	
		2	2 동명사	Unit 01 동명사의 쓰임	
				Unit 02 동명사를 이용한 표현	
				Unit 03 동사 + 동명사 / 동사 + to부정사	
		3	3 분사	Unit 01 현재분사	
				Unit 02 과거분사	*각 Chapter별 드릴 문제 제공
				Unit 03 분사구문	
			Review/Achievement Test		
		4	4 수동태	Unit 01 능동태와 수동태	
				Unit 02 수동태의 여러 가지 형태 Ⅰ	*각 Chapter별 모의테스트지 제공
				Unit 03 수동태의 여러 가지 형태 Ⅱ	
				Unit 04 주의해야 할 수동태	
	5th	5	5 전치사	Unit 01 시간 전치사	
				Unit 02 장소 전치사	
				Unit 03 방향 전치사	
		6	6 접속사	Unit 01 등위 접속사	
				Unit 02 시간, 이유, 결과 접속사	
				Unit 03 조건, 양보 접속사, 상관접속사	
			Review/Achievement Test		
4		1	1 가정법	Unit 01 가정법 과거	
				Unit 02 가정법 과거 완료	
				Unit 03 I wish 가정법	
		2	2 관계대명사 Ⅰ	Unit 01 관계대명사	*각 Chapter별 단어 퀴즈 제공
				Unit 02 관계대명사 – 목적격, 소유격	
				Unit 03 관계대명사 that, what	
		3	3 관계대명사 Ⅱ	Unit 01 관계대명사 생략과 계속적 용법	
				Unit 02 관계부사	
			Review/Achievement Test		*각 Chapter별 드릴 문제 제공
	6th	4	4 여러 가지 문장 Ⅰ	Unit 01 의문사가 있는 의문문 Ⅰ	
				Unit 02 의문사가 있는 의문문 Ⅱ	
				Unit 03 명령문과 제안문	*각 Chapter별 모의테스트지 제공
		5	5 여러 가지 문장 Ⅱ	Unit 01 부가의문문	
				Unit 02 간접의문문, 선택의문문	
				Unit 03 감탄문	*최종 3회의 실전모의고사 테스트지 제공
		6	6 시제의 일치 및 화법	Unit 01 수의 일치	
				Unit 02 시제 일치	
				Unit 03 간접 화법	
			Review/Achievement Test		

Construction

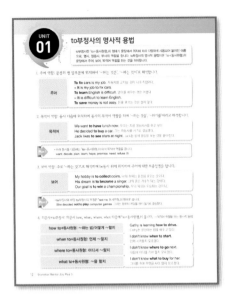

Unit
각 Chapter를 Unit으로 나누어 보다 심층적이고 체계적으로 학습할 수 있도록 했습니다.

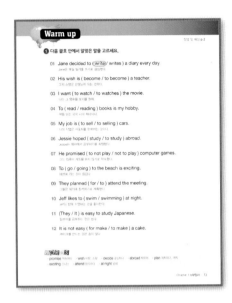

Warm-up
본격적인 학습에 앞서 Unit의 기본적인 내용을 점검하는 단계입니다.

Start up
각 Unit에서 다루고 있는 문법의 기본적인 내용들을 점검할 수 있도록 했습니다.

Check up & Writing
서술형 문제에 대비하는 단계로 단순 단어의 나열이 아닌, 사고력이 요하는 문제들로 구성되어 있습니다

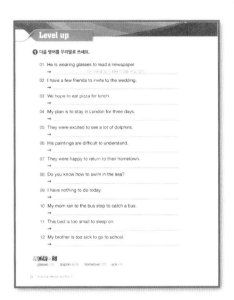

Level up

각 Chapter의 내용을 최종 점검하는 단계로 각 Unit의 내용들을 기초로 한 문제들로 구성되어 있습니다.

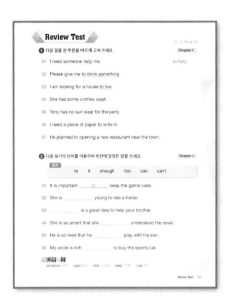

Review Test

Chapter 3개마다 구성되어 있으며, 앞서 배운 기본적인 내용들을 다시 한 번 풀어 보도록 구성했습니다.

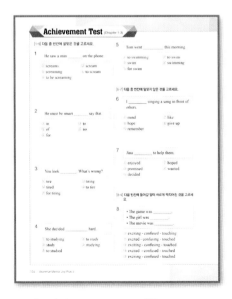

Achievement Test

Chapter 3개마다 구성되어 있으며, 5지선다형 문제와 서술형 문제로 구성되어 있어 실전 내신문제에 대비하도록 했습니다.

실전모의고사

총 3회로 구성되어있으며 각 level의 모든 내용을 5지선다형 문제와 서술형 문제로 구성하여 여러분들이 최종적으로 학습한 내용을 점검 할 수 있도록 했습니다.

Contents

Grammar Mentor Joy Plus 1	Grammar Mentor Joy Plus 2	Grammar Mentor Joy Plus 4
Chapter 1 be 동사	Chapter 1 명사	Chapter 1 가정법
Chapter 2 일반동사	Chapter 2 관사	Chapter 2 관계대명사 I
Chapter 3 시제	Chapter 3 대명사 I	Chapter 3 관계대명사 II
Chapter 4 조동사 I	Chapter 4 대명사 II	Chapter 4 여러 가지 문장 I
Chapter 5 조동사 II	Chapter 5 형용사와 부사	Chapter 5 여러 가지 문장 II
Chapter 6 문장의 형태	Chapter 6 비교	Chapter 6 시제 일치와 화법

Chapter

1

to부정사

UNIT 01

to부정사의 명사적 용법

to부정사란 「to+동사원형」의 형태가 문장에서 위치에 따라 다양하게 사용되어 붙여진 이름으로, 명사, 형용사, 부사의 역할을 합니다. to부정사의 명사적 용법이란 「to+동사원형」이 문장에서 주어, 보어, 목적어 역할을 하는 것을 의미합니다.

1. 주어 역할: 문장의 맨 앞부분에 위치하여 '~하는 것은', '~하는 것이'로 해석합니다.

주어	**To fix** cars is my job. 자동차를 고치는 것이 나의 직업이다. = **It** is my job to fix cars. **To learn** English is difficult. 영어를 배우는 것은 어렵다. = **It** is difficult to learn English. **To save** money is not easy. 돈을 모으는 것은 쉽지 않다.

2. 목적어 역할: 동사 다음에 위치하여 동사의 목적어 역할을 하며 '~하는 것을', '~하기를'이라고 해석합니다.

목적어	We want **to have** lunch now. 우리는 지금 점심식사를 하고 싶다. He decided **to buy** a car. 그는 자동차를 사기로 결심했다. Jack likes **to see** stars at night. Jack은 밤에 별들을 보는 것을 좋아한다.

Plus 1
• 아래 동사들 다음에는 「to+동사원형」이 와서 목적어 역할을 합니다.
want, decide, plan, learn, hope, promise, need, refuse 등

3. 보어 역할: 주로 '~하는 것'으로 해석하며 be동사 뒤에 위치하여 주어에 대한 보충설명을 합니다.

보어	My hobby is **to collect** coins. 나의 취미는 동전을 모으는 것이다. His dream is **to become** a singer. 그의 꿈은 가수가 되는 것이다. Our goal is **to win** a championship. 우리 목표는 우승하는 것이다.

Plus 2
• to부정사의 부정: to부정사의 부정은 「not+to 동사원형」의 형태로 씁니다.
She decided **not to play** computer games. 그녀는 컴퓨터 게임을 하지 않기로 결심했다.

4. 의문사+to부정사: 의문사 how, when, where, what 다음에 「to+동사원형」이 옵니다. → 목적어 역할을 하는 명사적 용법

how to+동사원형: ~하는 법/어떻게 ~할지	Cathy is learning **how to drive.** Cathy는 운전하는 법을 배우고 있다.
when to+동사원형: 언제 ~할지	I don't know **when to start.** 언제 시작할지 모르겠다.
where to+동사원형: 어디서 ~할지	I don't know **where to go** next. 다음에 어디를 가야 할지 모르겠다.
what to+동사원형: ~을 할지	I don't know **what to buy** for her. 그녀를 위해 무엇을 사야 할지 모르겠다.

Warm up

● 다음 괄호 안에서 알맞은 말을 고르세요.

01 Jane decided to ((write) / writes) a diary every day.
Jane은 매일 일기를 쓰기로 결심했다.

02 His wish is (become / to become) a teacher.
그의 소망은 선생님이 되는 것이다.

03 I want (to watch / to watches) the movie.
나는 그 영화를 보기를 원해.

04 To (read / reading) books is my hobby.
책을 읽는 것이 나의 취미이다.

05 My job is (to sell / to selling) cars.
나의 직업은 자동차를 판매하는 것이다.

06 Jessie hoped (study / to study) abroad.
Jessie는 해외에서 공부하기를 희망했다.

07 He promised (to not play / not to play) computer games.
그는 컴퓨터 게임을 하지 않기로 약속했다.

08 To (go / going) to the beach is exciting.
해변에 가는 것이 즐겁다.

09 They planned (for / to) attend the meeting.
그들은 회의에 참석하기로 계획했다.

10 Jeff likes to (swim / swimming) at night.
Jeff는 밤에 수영하는 것을 좋아한다.

11 (They / It) is easy to study Japanese.
일본어를 공부하는 것은 쉽다.

12 It is not easy (for make / to make) a cake.
케이크를 만드는 것은 쉽지 않다.

WORDS

· promise 약속하다 · wish 바람, 소망 · decide 결심하다 · abroad 해외에 · plan 계획하다, 계획
· exciting 신나는 · attend 참석하다 · at night 밤에

to부정사의 명사적 용법 점검하기

1 밑줄 친 to부정사가 어떤 역할을 하는지 쓰세요.

01 He decided <u>to go</u> to Europe.   목적어

02 His hope is <u>to become</u> a writer.

03 They planned <u>to leave</u> early.

04 <u>To watch</u> movies is my hobby.

05 I want <u>to join</u> the tennis club.

06 Her hobby is <u>to take</u> pictures.

07 He promised <u>to stop</u> smoking next year.

08 Our duty is <u>to protect</u> innocent citizens.

09 <u>To learn</u> foreign languages is difficult.

10 Jeff likes <u>to read</u> books.

11 <u>To visit</u> museums is a lot of fun.

12 Sam refused <u>to answer</u> the question.

13 Her job is <u>to sell</u> vegetables.

14 You need <u>to take</u> a break.

15 <u>To watch</u> baseball games is exciting.

WORDS

• writer 작가 • foreign 외국의 • language 언어 • need 필요하다 • take a break 휴식하다
• innocent 무고한, 순결한 • citizen 시민 • refuse 거절하다 • answer 대답하다

❷ 밑줄 친 to부정사가 어떤 역할을 하는지 쓰세요.

01 I hope <u>to meet</u> her soon.   목적어

02 She needs <u>to wear</u> glasses.

03 My plan is <u>to finish</u> this report by tomorrow.

04 I decided <u>to read</u> the novel.

05 <u>To ride</u> a roller coaster is exciting.

06 <u>To go</u> to the dentist is scary.

07 His dream is <u>to make</u> a lot of money.

08 We hope <u>to eat</u> noodles for lunch.

09 <u>To guide</u> tourists is my job.

10 Ted promised <u>to help</u> me.

11 We want <u>to buy</u> some apples for the party.

12 He likes <u>to dance</u> with Jane.

13 He tried <u>to protect</u> me.

14 My hope is <u>to live</u> with my parents.

15 <u>To drive</u> a truck is not easy.

WORDS

· wear 착용하다, 입다 · glasses 안경 · ride 탈것에 타다 · scary 무서운 · noodle 국수 · guide 안내하다
· roller coaster 롤러코스터 · tourist 관광객 · dance 춤을 추다

❶ 다음 보기에서 알맞은 말을 골라 빈칸에 쓰세요.

보기

| when | where | how | what |

01 She knows _____how_____ to use the copy machine.
그녀는 복사기를 사용하는 방법을 알고 있다.

02 Tell me _____ to go.
나에게 어디로 가야 할지 말해줘.

03 Jack knows _____ to ride a bicycle.
Jack은 자전거 타는 방법을 안다.

04 Please tell me _____ to get up.
내가 언제 일어날지 얘기해 주세요.

05 They learned _____ to make spaghetti.
그들은 스파게티 만드는 방법을 배웠다.

06 I don't know _____ to buy for her birthday.
그녀의 생일선물로 무엇을 사야 할지 모르겠다.

07 They didn't know _____ to start.
그들은 언제 출발할지 몰랐다.

08 Do you know _____ to fix it?
너는 그것을 고치는 방법을 알고 있니?

09 She didn't decide _____ to eat.
그녀는 무엇을 먹을지 결정하지 못했다.

10 She didn't know _____ to tell her father.
그녀는 아버지에게 무엇을 말해야 할지 몰랐다.

11 Let's learn _____ to use our time wisely.
우리의 시간을 현명하게 사용하는 방법을 배우자.

WORDS

• copy machine 복사기　• start 출발하다　• fix 고치다　• tell 말하다　• wisely 현명하게

❷ **다음 우리말과 일치하도록, 주어진 단어를 바르게 배열하여 문장을 완성하세요.**

01 그의 꿈은 유명한 배우가 되는 것이다. (a famous actor, is, to be)

→ His dream _____ is to be a famous actor _____ .

02 나는 어떻게 살을 빼야 할지 모르겠다. (lose weight, to, how)

→ I don't know _____ .

03 우리는 패스트푸드를 먹지 않기로 결심했다. (to eat, fast food, not)

→ We decided _____ .

04 아침에 일찍 일어나는 것은 쉽지 않다. (to, early, get up)

→ _____ in the morning is not easy.

05 이 기계를 어떻게 사용하는지 아니? (to use, how, machine, this)

→ Do you know _____ ?

06 나는 Kevin에게 무엇을 말해야 할지 모르겠어. (to tell, what, Kevin)

→ I don't know _____ .

07 Jessie는 이 꽃병을 어디다 놓을지 결정하지 못했다. (to put, where, this vase)

→ Jessie didn't decide _____ .

08 그는 나에게 나의 차를 어디에 주차해야 하는지 말했다. (my car, where, to park)

→ He told me _____ .

09 그는 좋은 외교관이 되기를 희망한다. (diplomat, to become, a good)

→ He hopes _____ .

10 Steve는 컴퓨터 게임하는 것을 좋아한다. (computer games, to play, likes)

→ Steve _____ .

11 그녀의 계획은 저녁식사 전에 숙제를 마치는 것이다. (before dinner, to finish, the homework)

→ Her plan is _____ .

12 그녀는 독서 모임에 가입하지 않기로 결심했다. (to join, the reading club, not)

→ She decided _____ .

WORDS

‣ put ~을 놓다   ‣ vase 꽃병   ‣ diplomat 외교관

UNIT 02

to부정사의 형용사적 용법

to부정사의 형용사적 용법이란 「to+동사원형」이 형용사 역할을 하여 명사를 꾸며주는 역할을 하는 것을 의미합니다.

1. 명사+to 동사원형: 「to+동사원형」이 명사 뒤에서 명사를 수식하는 형용사 역할을 하며, '~할', '~하는' 등의 의미를 가지고 있습니다.

| 명사+to 동사원형 | I have some **work to finish** today. 나는 오늘 끝내야 할 일이 있다.
She needs some **money to buy** a book. 그녀는 책을 살 돈이 필요하다.
I have a **book to read** today. 나는 오늘 읽을 책이 있다. |

2. -thing / -one / -body+to 동사원형: 「to+동사원형」이 -thing / -one / -body로 끝나는 대명사 뒤에서 이들을 수식합니다.

| -thing / -one / -body+ to 동사원형 | We have **nothing to eat**. 우리는 먹을 것이 없다.
I have **something to tell** you. 네게 할 말이 있다.
There is **nobody to help** me. 나를 도와줄 사람이 없다. |

Plus 1
- -thing / -one / -body로 끝나는 단어
  something, nothing, anything, nobody, anybody, someone, anyone 등

Plus 2
- -thing+형용사+to 동사원형
  something, nothing과 같이 -ing로 끝나는 말 뒤에 형용사와 「to+동사원형」이 와서 함께 이들을 수식할 수 있습니다.
- something cold to drink - 차가운 마실 무언가   • nothing special to do 특별한 일이 없음

3. 명사+to 동사원형+전치사: 아래의 전치사는 「to+동사원형」 다음에 반드시 써야 합니다.

| a chair to sit **on** 앉을 의자
a house to live **in** 살 집
a person to talk **to/with** 함께 말할 사람 | paper to write **on** 쓸 종이
a pen to write **with** 사용할 펜
a person to play **with** 함께 놀 사람 |

I need a chair **to sit on**. 나는 앉을 의자가 필요하다.
Mike bought a house **to live in**. Mike는 살 집을 구매했다.
She needs a pen **to write with**. 그녀는 쓸 펜이 필요하다.

Warm up

● 다음 괄호 안에서 알맞은 말을 고르세요.

01 I need someone (help / (to help)) me.
나를 도와줄 누군가가 필요하다.

02 She bought (something / someone) to eat.
그녀는 먹을 뭔가를 샀다.

03 There are many places (visit / to visit) in Seoul.
서울에는 방문할 곳이 많다.

04 My dad needs paper (to write / to write on).
아버지는 쓸 종이가 필요하시다.

05 Do you need a person to talk (with / in)?
너는 대화할 사람이 필요하니?

06 He built a big house to live (with / in).
그는 살 커다란 집을 지었다.

07 We have (something to tell / to tell something) you.
우리는 네게 말할 것이 있다.

08 This is the best way (to study / to study in) English.
이것은 영어를 배우는 가장 좋은 방법이다.

09 She wants something (drink / to drink).
그녀는 마실 뭔가를 원한다.

10 I have a reason (to go / going) there.
나는 그곳에 갈 이유가 있다.

11 My mom didn't have a chance (learn / to learn) Japanese.
엄마는 일본어를 배울 기회가 없으셨다.

12 There are some rules (remember / to remember).
기억해야 할 몇 가지 규칙이 있다.

13 I have a lot of homework (to do / to do with).
나는 해야 할 숙제가 많다.

14 Kevin has nothing (read / to read) now.
Kevin은 지금 읽어야 할 것이 없다.

15 He has no friends (help / to help) him.
그는 그를 도와줄 친구가 없다.

WORDS

· someone 누군가 · place 장소 · person 사람, 인물 · best 최고의 · way 방법 · something 무언가, 어떤 거
· reason 이유 · chance 기회 · rule 규칙 · remember 기억하다 · nothing 없음

❶ 다음 영어를 우리말로 쓰세요.

01 people to invite   초대해야 할 사람들

02 many museums to visit

03 someone to help me

04 babies to care of

05 a chair to sit on

06 something to tell you

07 someone to fix my computer

08 a lot of work to do

09 a chance to learn English

10 money to buy a car

11 a house to live in

12 a friend to talk with

13 a plan to visit Canada

14 the best way to learn a foreign language

15 magazines to read

·invite 초대하다 ·take care of ~을 돌보다 ·best 최고의 ·magazine 잡지

❷ 다음 영어를 우리말로 쓰세요.

01 something to eat   먹을 무언가

02 a chance to win the game

03 a dream to become a doctor

04 nothing to say about her

05 a room to clean

06 something to give you

07 a promise to keep

08 a dress to wear tonight

09 the fastest way to go to the library

10 a friend to play with

11 the clothes to wash

12 a bench to sit on

13 a piece of paper to write on

14 homework to do today

15 water to drink after dinner

· dream 꿈   · promise 약속   · a piece of ~한 장

1 다음 우리말과 일치하도록, 밑줄 친 부분을 바르게 고치세요.

01 She bought a few books <u>read</u> during the vacation.　　to read
그녀는 휴가 동안 읽을 책을 좀 샀다.

02 They have <u>to drink nothing</u>.
그들은 마실 것이 없다.

03 I am looking for an apartment <u>to live</u>.
나는 살 아파트를 찾고 있다.

04 It is a good way <u>lose</u> weight.
그것은 살을 빼는 좋은 방법이다.

05 Sam doesn't have a pencil <u>to write</u>.
Sam은 쓸 연필을 가지고 있지 않다.

06 His town is a good place <u>visit</u> in summer.
그의 마을은 여름에 방문하기 좋은 장소이다.

07 They don't have anything <u>wear</u>.
그들은 입을 옷이 어떤 것도 없다.

08 I have a picture <u>show</u> you.
나는 너에게 보여줄 사진이 하나 있다.

09 The students need someone <u>help</u> them.
그 학생들은 그들을 도와줄 누군가가 필요하다.

10 Do you have friends <u>to play on</u>?
너는 함께 놀 친구들이 있니?

11 Ted has no money <u>buy</u> the camera.
Ted는 그 카메라를 살 돈이 없다.

12 Do you have <u>to ask anything</u>?
너는 물어볼 어떤 것이 있니?

· during ~하는 동안　· lose (체중을) 줄이다　· weight 몸무게　· show 보여주다

❷ 다음 우리말과 일치하도록, 주어진 단어를 이용하여 문장을 완성하세요.

01 그들은 마실 것이 필요하다. (drink, something)

→ They need _____ something to drink _____ .

02 나는 판매할 자동차가 있다. (a car, sell)

→ I have _____ .

03 나는 지금 입을 것이 아무것도 없다. (wear, nothing, now)

→ I have _____ .

04 James는 나의 집을 방문한 첫 번째 사람이었다. (my house, visit, person)

→ James was the first _____ .

05 Jessica는 쓸 종이가 좀 필요하다. (paper, on, write)

→ Jessica needs some _____ .

06 나의 마을은 살기 좋은 곳이다. (place, in, live)

→ My town is a nice _____ .

07 그것은 물을 절약할 수 있는 좋은 방법이다. (save, water, way)

→ It is a good _____ .

08 나는 나를 이해해 줄 누군가가 필요하다. (me, understand)

→ I need someone _____ .

09 살 것들이 많다. (things, a lot of, buy)

→ There are _____ .

10 Ted는 컴퓨터를 살 충분한 돈이 없다. (money, buy, a computer)

→ Ted doesn't have enough _____ .

11 나에게 먹을 것 좀 주세요. (eat, something)

→ Please give me _____ ?

12 도서관에는 읽을 책들이 많이 있다. (in the library, books, read)

→ There are many _____ .

WORDS

· first 첫 번째   · save 절약하다   · understand 이해하다   · enough 충분한

UNIT 03

to부정사의 부사적 용법

to부정사의 부사적 용법이란 「to+동사원형」이 부사의 역할을 하여 동사, 형용사를 수식하는 것을 의미합니다. 의미에 따라, 목적, 결과, 원인 등으로 구별할 수 있습니다.

1. 목적: 「to+동사원형」이 문장에서 '~하기 위해서', '~하려고' 등의 의미를 나타냅니다.

> I went to the zoo **to see** tigers. 나는 호랑이들을 보기 위해 동물원에 갔다. (동사 수식)
> James came here **to meet** his father. James는 아버지를 만나기 위해 이곳에 왔다. (동사 수식)
> She got up early **to take** a walk. 그녀는 산책을 하기 위해 일찍 일어났다. (동사 수식)

- to부정사의 목적으로 사용하여 '~하기 위해'라는 의미일 때 「to+동사원형」 대신 「in order to+동사원형」 또는 「so as to+동사원형」으로 바꿔 쓸 수 있습니다.
  She got up early **to take** a walk.
  = She got up early in order [so as] to take a walk.

- '~하지 않기 위해'는 「not+to 동사원형」의 형태가 됩니다.
  I studied hard **not to fail** the test. 나는 그 시험에 떨어지지 않기 위해 열심히 공부했다.
  = I studied hard **in order not to** fail the test.

2. 원인: 「to+동사원형」이 뒤에서 형용사를 수식하여 '~해서' 등의 의미를 나타냅니다.

> I am **glad to meet** you. 너를 만나서 기쁘다.
> She was **disappointed to fail** the test. 그녀는 시험에 떨어져서 실망했다.
> I'm **sorry to hear** the news. 그 소식을 듣게 되어서 유감이다.

- to부정사의 '원인'에 주로 등장하는 형용사
  happy, glad, pleased, disappointed, surprised, sorry, sad 등

3. 정도: 「to+동사원형」이 뒤에서 형용사를 수식하여 '~하기에', '~하기가' 등의 의미를 나타냅니다.

> Korean is not **easy to learn**. 한국어는 배우기에 쉽지 않다.
> The water is not **safe to drink**. 그 물은 마시기에 안전하지 않다.
> The piano is **heavy to move**. 그 피아노는 옮기기에 무겁다.

- to부정사의 '정도'에 주로 등장하는 형용사
  easy, hard, difficult, heavy, expensive 등

- 부사적 용법의 판단: 「to+동사원형」이 뒤에서 형용사를 수식하여 '~하다니' 등의 의미를 나타냅니다.
  You are very kind **to help** me. 나를 도와주다니 당신은 참 친절하군요.

Warm up

● 다음 괄호 안에서 알맞은 말을 고르세요.

01 I am very happy (<u>to see</u> / to seeing) you.
나는 당신을 만나게 되어서 매우 기쁘다.

02 She studied hard (to pass / passing) the exam.
그녀는 시험에 합격하기 위해 열심히 공부했다.

03 I am (sad / pleased) to receive your invitation.
당신의 초청을 받아서 기쁩니다.

04 This washing machine is (difficult / easy) to fix.
이 세탁기는 고치기가 어렵다.

05 He climbed up the ladder (to fix / fixing) the roof.
그는 지붕을 고치기 위해 사다리에 올랐다.

06 She came here (to learn / learning) how to cook.
그녀는 이곳에 요리를 배우기 위해 왔다.

07 Ted was (pleased / sad) to hear the news.
Ted는 그 소식을 듣고서 슬펐다.

08 He was sad to (win / lose) the game.
그는 게임에 져서 슬펐다.

09 They were excited (to win / to winning) the final game.
그들은 결승전을 이겨서 흥분했다.

10 She learned English to (being / be) a diplomat.
그녀는 외교관이 되기 위해 영어를 배웠다.

11 Jake turned on the radio (to listen / for listen) to music.
Jake는 음악을 듣기 위해 라디오를 틀었다.

12 His speech is hard to (understand / understanding).
그의 연설은 이해하기에 어렵다.

WORDS

· pass 통과하다, 합격하다　· climb up 올라가자　· ladder 사다리　· pleased 기쁜　· excited 흥분된, 신나는
· speech 연설　· hard 어려운

1 다음 밑줄 친 to부정사의 의미에 맞는 것을 고르세요.

01 Ben went to the zoo <u>to see</u> pandas.　　(a ~하기 위하여, b ~해서, c ~하기에)

02 She got up early <u>to catch</u> the train.　　(a ~하기 위하여, b ~해서, c ~하기에)

03 English is difficult <u>to learn</u>.　　(a ~하기 위하여, b ~해서, c ~하기에)

04 Jessie was glad <u>to meet</u> the movie star.　　(a ~하기 위하여, b ~해서, c ~하기에)

05 She was disappointed <u>to fail</u> the test.　　(a ~하기 위하여, b ~해서, c ~하기에)

06 We went to the library <u>to read</u> books.　　(a ~하기 위하여, b ~해서, c ~하기에)

07 This box is very heavy <u>to move</u>.　　(a ~하기 위하여, b ~해서, c ~하기에)

08 He was sad <u>to lose</u> the game.　　(a ~하기 위하여, b ~해서, c ~하기에)

09 This book is difficult <u>to understand</u>.　　(a ~하기 위하여, b ~해서, c ~하기에)

10 She was surprised <u>to hear</u> the news.　　(a ~하기 위하여, b ~해서, c ~하기에)

11 They came here <u>to meet</u> me.　　(a ~하기 위하여, b ~해서, c ~하기에)

12 I am sorry <u>to break</u> the window.　　(a ~하기 위하여, b ~해서, c ~하기에)

13 He went to the shopping mall <u>to buy</u> shoes.　(a ~하기 위하여, b ~해서, c ~하기에)

14 She didn't eat dinner <u>to lose</u> weight.　　(a ~하기 위하여, b ~해서, c ~하기에)

15 The water is not safe <u>to drink</u>.　　(a ~하기 위하여, b ~해서, c ~하기에)

WORDS

· disappointed 실망한　· difficult 어려운　· surprised 놀란　· here 이곳에　· heavy 무거운　· break 깨트리다
· safe 안전한

❷ 다음 밑줄 친 to부정사의 의미에 맞는 것을 고르세요.

01 They went to the market <u>to buy</u> meat. (a ~하기 위하여, b ~해서, c ~하기에

02 I'll go to Canada <u>to learn</u> English. (a ~하기 위하여, b ~해서, c ~하기에

03 She is excited <u>to go</u> on a picnic tomorrow. (a ~하기 위하여, b ~해서, c ~하기에

04 The car is very expensive <u>to buy</u>. (a ~하기 위하여, b ~해서, c ~하기에

05 He opened the window <u>to see</u> the trees. (a ~하기 위하여, b ~해서, c ~하기에

06 She was happy <u>to learn</u> Korean culture. (a ~하기 위하여, b ~해서, c ~하기에

07 He turned on the TV <u>to watch</u> a baseball game. (a ~하기 위하여, b ~해서, c ~하기에

08 Tom was happy <u>to receive</u> the present. (a ~하기 위하여, b ~해서, c ~하기에

09 I will save money <u>to buy</u> a car. (a ~하기 위하여, b ~해서, c ~하기에

10 He bought some flour <u>to make</u> cakes. (a ~하기 위하여, b ~해서, c ~하기에

11 Jenny was sad <u>to see</u> the homeless. (a ~하기 위하여, b ~해서, c ~하기에

12 This novel is not easy <u>to understand</u>. (a ~하기 위하여, b ~해서, c ~하기에

13 He was disappointed <u>to lose</u> his job. (a ~하기 위하여, b ~해서, c ~하기에

14 Jackson went to the station <u>to pick</u> her up. (a ~하기 위하여, b ~해서, c ~하기에

15 I was surprised <u>to meet</u> James at the party. (a ~하기 위하여, b ~해서, c ~하기에

WORDS
· culture 문화 · present 선물 · homeless 노숙자들 · lose 잃다 · pick up ~을 태우러 가다

❶ 다음 우리말과 일치하도록 보기에서 알맞은 말을 골라 문장을 완성하세요.

> **보기**
>
> to buy a dress, to wash dishes, to ask about the field trip, to sleep,
> to buy some fruits, to get a job, to hear about the loss, to drive,
> to receive a gift from her dad, to participate in the opening ceremony

01 My sister is saving money _____ to buy a dress _____ .
내 여동생은 드레스를 사기 위해 돈을 모으고 있다.

02 He went to the kitchen _____ .
그는 부엌에 설거지를 하기 위해 갔다.

03 James went to the market _____ .
James는 과일을 좀 사기 위해 시장에 갔다.

04 He raised his hand _____ .
그는 현장실습에 대해 질문하기 위해 손을 들었다.

05 She was happy _____ .
그녀는 아버지로부터 선물을 받아 행복했다.

06 We were excited _____ .
우리는 개회식에 참석하게 되어 신이 났다.

07 This car is easy _____ .
이 자동차는 운전하기 쉽다.

08 I am happy _____ .
나는 일자리를 얻어 기쁘다.

09 He changed his clothes _____ .
그는 잠을 자기 위해 옷을 갈아입었다.

10 We are sorry _____ of your mother.
우리는 네 어머니가 돌아가셨다는 소식을 듣게 되어 유감이다.

WORDS

· raise 들어올리다   · participate 참석하다   · ceremony 의식   · about ~에 관하여   · loss 손실, 사망

❷ 다음 우리말과 일치하도록, 주어진 단어를 이용하여 문장을 완성하세요.

01 나는 사진을 찍기 위해 공원에 갈 것이다. (take, pictures)

→ I will go to the park _____ to take pictures _____.

02 그는 바이올린을 연습하기 위해 집에 머물렀다. (practice, the violin)

→ He stayed at home _____.

03 일본어는 배우기 어렵지 않다. (not, learn, difficult)

→ Japanese is _____.

04 나는 교통체증을 피하기 위해 지하철을 이용한다. (a traffic jam, avoid)

→ I use the subway _____.

05 그녀는 새 스마트폰을 갖게 되어서 매우 기뻤다. (smartphone, get, a new)

→ She was so happy _____.

06 너와 함께 일하게 되어서 기쁘다. (with you, happy, work)

→ I am _____.

07 그녀는 학교에 지각하지 않으려고 택시를 탔다. (late, be, for school)

→ She took a taxi not _____.

08 그는 음악회 티켓을 사기 위해 돈을 모으고 있다. (a concert ticket, buy)

→ He is saving money _____.

09 Mike는 나무를 자르기 위해 도끼를 빌렸다. (an ax, the trees, cut)

→ Mike borrowed _____.

10 그녀는 길거리에서 그를 만나서 놀랐다. (meet, on the street, him)

→ She was surprised _____.

11 이 수학문제는 풀기 쉽지 않다. (not, solve, easy)

→ This math problem is _____.

12 그녀는 살이 쪄서 슬펐다. (put on, weight, sad)

→ She was _____.

WORDS

• stay 머무르다 • avoid 피하다 • traffic jam 교통체증 • borrow 빌리다 • ax 도끼 • solve 해결하다
• put on 살이 찌다

UNIT 04

to부정사를 이용한 표현

to부정사를 이용하여 다양한 표현을 할 수 있습니다.

1. too ~ to부정사: 「too+형용사/부사+to+동사원형」의 형태로 '~하기에 너무 …하다'라는 의미를 가지고 있습니다.

> He is **too young to understand** my speech. 내 연설을 이해하기에 그는 너무 어리다.
> She is **too busy to have** lunch. 그녀는 점심을 먹기에는 너무 바쁘다.
> Kevin is **too weak to move** the piano. 그 피아노를 움직이기에 Kevin은 너무 약하다.

Plus 1

- 「too+형용사/부사+to+동사원형」은 「so+형용사/부사 that 주어+can't[couldn't]」로 바꿔 쓸 수 있으며, '너무 ~해서, …할 수 없다'의 의미를 가지고 있습니다.
  He is **too young to drive** a car. 운전하기에 그는 너무 어리다.
  → He is **so young that he can't** drive a car. 그는 너무 어려서 운전을 할 수 없다.

2. enough to부정사: 「형용사/부사+enough to+동사원형」은 '~할 만큼 충분히 …하다'라는 의미를 가지고 있습니다.

> He is **smart enough to understand** my speech. 그는 내 연설을 이해할 만큼 충분히 영리하다.
> Sam is **rich enough to buy** a sports car. Sam은 스포츠카를 살만큼 충분히 부자다.

Plus 2

- 「형용사/부사+enough to+동사원형」은 「so+형용사/부사 that 주어+can[could]」으로 바꿔 쓸 수 있으며, '매우 ~해서, …할 수 있다'의 의미를 가지고 있습니다.
  Mike is **clever enough to solve** the problem. Mike는 그 문제를 풀만큼 충분히 영리하다.
  → Mike is **so clever that he can** solve the problem. Mike는 매우 영리해서 그 문제를 풀 수 있다.

3. 가주어와 진주어: to부정사가 문장 앞에 나와 주어 역할을 하는 경우 가주어 it을 사용하여 「it ~ to+동사원형」의 형태로 바꿔 쓸 수 있으며, 이때 it은 해석하지 않습니다.

> **To learn** English is difficult. 영어를 배우는 것은 어렵다.
> = **It** is difficult **to learn** English.
>   가주어   진주어
>
> **To exercise** every day is important. 매일 운동하는 것이 중요하다.
> = **It** is important **to exercise** every day.

Plus 3

- 가주어: 가주어란 '가짜 주어'란 의미로 해석하지 않으며 문장에서 진주어[진짜 주어]를 찾아 먼저 해석하는 연습을 해야 합니다.

Warm up

● 다음 괄호 안에서 알맞은 말을 고르세요.

01 The woman is ((rich enough) / enough rich) to buy a house.
그 여성은 집을 살 만큼 충분히 부자다.

02 It is important (to / for) protect our environment.
우리의 환경을 보호하는 것은 매우 중요하다.

03 She is (too / enough) young to go to school.
그녀는 학교 가기에 너무 어리다.

04 I am so tired that I (can / can't) play with you.
나는 너무 피곤해서 너와 놀 수가 없다.

05 The room is so big that it (can / can't) accommodate 30 people.
그 방은 30명을 수용할 만큼 충분히 크다.

06 Ted was (too / enough) sleepy to get up in the morning.
Ted는 너무 피곤해서 아침에 일어날 수가 없었다.

07 The toy is small (too / enough) to fit in my pocket.
장난감은 내 주머니에 들어갈 만큼 충분히 작다.

08 My dog, Spark is so old that it (can / can't) run fast.
나의 개 Spark는 너무 늙어서 빠르게 달릴 수가 없다.

09 The hurricane was strong enough to (destroy / destroying) my house.
태풍은 우리 집을 파괴할 만큼 충분히 강했다.

10 (That / It) is a good idea to help poor people.
가난한 사람을 돕는 것은 매우 좋은 생각이다.

11 David is (too / enough) lazy to get a job.
David는 너무 게을러서 일을 구할 수 없다.

12 She is so smart that she (can / can't) understand the book.
그녀는 매우 영리해서 그 책을 이해할 수 있다.

WORDS

· important 중요한   · protect 보호하다   · environment 환경   · accommodate 수용하다   · sleepy 졸린
· hurricane 태풍   · destroy 파괴하다   · lazy 게으른

❶ 두 문장의 뜻이 같도록 빈칸에 알은 말을 쓰세요.

01 I am too sleepy to read a book.

→ I am _____so_____ sleepy that I _____can't_____ read a book.

02 The boy is smart enough to answer the question.

→ The boy is _____ smart that he _____ answer the question.

03 My brother is strong enough to move the box.

→ My brother is _____ strong that he _____ move the box.

04 Jack was so busy that he couldn't answer the phone.

→ Jack was _____ busy to answer the phone.

05 I am too tired to walk any longer.

→ I am _____ tired that I _____ walk any longer.

06 Kevin is so old that he can watch the movie.

→ Kevin is old _____ to _____ the movie.

07 To watch baseball games on TV is exciting.

→ _____ is exciting _____ watch baseball games on TV.

08 It is dangerous to ride a bike in the rain.

→ _____ ride a bike in the rain is _____.

09 She was so sad that she couldn't think about the accident.

→ She was _____ sad _____ think about the accident.

10 To lock the door is simple.

→ _____ is simple _____ lock the door.

11 They are too hungry to study any more.

→ They are so _____ that they _____ study any more.

12 My sister is clever enough to do that.

→ My sister is _____ clever that she _____ do that.

· accident 사고   · simple 단순한   · lock 잠그다   · hungry 배고픈   · any more 더 이상   · clever 영리한

② 두 문장의 뜻이 같도록 빈칸에 알은 말을 쓰세요.

01 We are strong enough to win the game.
→ We are so ___strong___ that we ___can___ win the game.

02 My father was so fast that he could catch the thief.
→ My father was fast _____ to _____ the thief.

03 He is too short to reach the shelf.
→ He is so _____ that he _____ reach the shelf.

04 She is so old that she can't take a trip.
→ She is _____ old _____ take a trip.

05 He is so clever that he can solve the problem.
→ He is clever _____ to solve the problem.

06 To watch comedy movies is my hobby.
→ _____ is my hobby _____ _____ comedy movies.

07 Kevin is too poor to buy a car.
→ Kevin is _____ poor that he _____ buy a car.

08 To swim in the river is not difficult.
→ _____ is not difficult _____ _____ in the river.

09 Sara was lucky enough to have a great teacher.
→ Sara was _____ lucky _____ she _____ have a great teacher.

10 The boy was strong enough to lift the rock.
→ The boy was _____ strong that he _____ lift the rock.

11 The dog was too scared to run away.
→ The dog was _____ scared that it _____ run away.

12 The herb was so good that it could cure him.
→ The herb was _____ enough _____ _____ him.

WORDS

• take a trip 여행하다 • rock 바위 • reach 손이 닿다, 이르다 • lift 들어 올리다 • scared 두려운 • herb 약초
• run away 도망가다 • cure 치료하다

❶ 다음 빈칸에 알맞은 말을 쓰세요.

01 It is my job ____to____ take care of babies at a hospital.
병원에서 아기를 돌보는 것이 나의 일이다.

02 I am _____ hungry _____ play the guitar.
나는 배가 너무 고파서 기타를 칠 수가 없다.

03 The paper is large _____ _____ cover my desk.
그 종이는 내 책상을 덮을 만큼 충분히 크다.

04 The boat is _____ big that it _____ carry 2,000 people.
그 배는 매우 커서 2,000명의 사람을 실을 수 있다.

05 Jessica is _____ young _____ she _____ ride a bike.
Jessica는 너무 어려서 자전거를 탈 수가 없다.

06 _____ is not safe _____ drive in the snow.
눈에서 운전하는 것은 안전하지 않다.

07 The novel is _____ difficult _____ understand.
그 소설은 너무 어려워 이해할 수 없다.

08 The movie was _____ boring _____ keep watching.
그 영화는 너무 지루해서 계속해서 볼 수가 없었다.

09 She was _____ upset that she _____ eat dinner.
그녀는 화가 너무 나서 저녁을 먹을 수가 없었다.

10 The math problem is _____ difficult _____ solve.
그 수학문제는 너무 어려워 풀 수가 없다.

11 The horse is fast _____ _____ win the race.
그 말은 경주에서 승리할 만큼 충분히 빠르다.

12 The house is _____ expensive _____ buy.
그 집은 너무 비싸서 살 수가 없다.

· cover 덮다 · safe 안전한 · boring 지루한 · upset 화가 난 · race 경주

❷ 다음 우리말과 일치하도록, 주어진 단어를 이용하여 문장을 완성하세요.
(필요하면 단어를 추가하세요.)

01 나는 너무 피곤해서 일어설 수가 없다. (that, tired, I, stand up)

→ I am _____ so tired that I can't stand up _____ .

02 그 커피는 마시기에 너무 쓰다. (too, drink, bitter)

→ The coffee is _____ .

03 우리는 어느 경쟁자도 이길 만큼 충분히 강하다. (enough, any competitors, beat)

→ We are strong _____ .

04 그 식탁은 너무 무거워서 움직일 수가 없다. (heavy, too, move)

→ The table is _____ .

05 너무 어두워서 밖에서 놀 수 없다. (too, play, dark, outside)

→ It is _____ .

06 세상은 살 만큼 아름답다. (beautiful, live in, enough)

→ The world is _____ .

07 그 고양이는 너무 살이 쪄서 쥐를 잡을 수 없다. (fat, mice, it, catch, so)

→ The cat is _____ .

08 나는 운이 좋아서 그녀를 만날 수 있었다. (lucky, could, that, I)

→ I was _____ meet her.

09 계획을 변경하는 것은 불가능하다. (change, the plan, impossible)

→ It is _____ .

10 쿠키를 만드는 것이 쉽지 않다. (not, make, cookies, easy)

→ It is _____ .

11 내 여동생은 너무 약해서 걸을 수가 없다. (weak, that, she, so, walk)

→ My sister is _____ .

12 나의 할아버지는 100세까지 살 만큼 건강하시다. (enough, live, healthy)

→ My grandfather is _____ up to 100 years old.

WORDS

· bitter 맛이 쓴 · competitor 경쟁자 · beat 물리치다 · dark 어두운 · outside 바깥에 · impossible 불가능한
· healthy 건강한 · up to ~까지

Level up

1 다음 영어를 우리말로 쓰세요.

01 He is wearing glasses to read a newspaper.

　➡ _____ 그는 신문을 읽기 위해 안경을 쓰고 있다. _____

02 I have a few friends to invite to the wedding.

　➡ _____

03 We hope to eat pizza for lunch.

　➡ _____

04 My plan is to stay in London for three days.

　➡ _____

05 They were excited to see a lot of dolphins.

　➡ _____

06 His paintings are difficult to understand.

　➡ _____

07 They were happy to return to their hometown.

　➡ _____

08 Do you know how to swim in the sea?

　➡ _____

09 I have nothing to do today.

　➡ _____

10 My mom ran to the bus stop to catch a bus.

　➡ _____

11 This bed is too small to sleep on.

　➡ _____

12 My brother is too sick to go to school.

　➡ _____

· glasses 안경　· dolphin 돌고래　· hometown 고향　· sick 아픈

2 다음 영어를 우리말로 쓰세요.

01 They have a lot of work to do.
→ _____ 그들은 해야 할 일이 많다. _____

02 She went to the cafe to meet her friend.
→ _____

03 I don't decide where to hang this painting.
→ _____

04 Sam stopped by a convenience store to buy ice cream.
→ _____

05 I need someone to look after my cat.
→ _____

06 Jack is too young to drink coffee.
→ _____

07 I don't need anything to read.
→ _____

08 To catch the first train is impossible.
→ _____

09 I am happy to hear your voice.
→ _____

10 It is important to tell the truth.
→ _____

11 He was sad to leave Korea.
→ _____

12 I called him to invite to the party.
→ _____

WORDS

• convenience store 편의점　• stop by 잠시 들르다　• look after 돌보다　• truth 진실　• leave 떠나다
• call 전화하다

❸ 다음 밑줄 친 부분을 바르게 고쳐 쓰세요.

01 He doesn't have friends <u>to play</u>.   to play with
그는 함께 놀 친구가 없다.

02 She needs someone <u>trust</u>.
그녀는 믿을 수 있는 누군가가 필요하다.

03 She is <u>enough old</u> to drive.
그녀는 운전할 만큼 나이가 들었다.

04 I don't know <u>where to</u> stop the machine.
나는 그 기계를 멈추는 방법을 모른다.

05 She bought some water <u>drink</u>.
그녀는 마실 물을 좀 샀다.

06 It's warm enough <u>play</u> outside.
밖에서 놀 만큼 날씨가 따뜻하다.

07 The tiger is <u>old</u> to run fast.
그 호랑이는 너무 늙어서 빨리 달릴 수 없다.

08 It is a pleasure <u>work</u> with you.
당신과 함께 일해서 기뻐요.

09 Korea is a nice place <u>to live</u>.
한국은 살기에 좋은 장소이다.

10 It is not a easy book <u>to understand in</u>.
그것은 이해하기 쉬운 책이 아니다.

11 Can you tell me where <u>to putting</u> this vase?
이 꽃병을 어디에 놓을지 말해 줄래?

12 Jane decided <u>accept</u> his apology.
Jane은 그의 사과를 받아들이기로 결심했다.

·trust 믿다, 신뢰하다   ·pleasure 기쁨, 즐거움   ·vase 꽃병   ·accept 수락하다   ·apology 사과

❹ 다음 영어를 우리말로 해석하고 밑줄 친 to부정사의 용법을 쓰세요.

01 I am glad <u>to meet</u> you.   부사적 용법

→ _____ 너를 만나게 되어서 기쁘다. _____

02 He was happy <u>to win</u> the first prize.

→ _____

03 My dream is <u>to become</u> a movie director.

→ _____

04 Joe will go to the gym <u>to play</u> basketball.

→ _____

05 She will take the subway <u>not to be</u> late for school.

→ _____

06 Jane was disappointed <u>to fail</u> the test.

→ _____

07 He didn't have a chance <u>to become</u> an actor.

→ _____

08 They don't know <u>how to use</u> the Internet.

→ _____

09 Tylor was upset <u>to lose</u> his money.

→ _____

10 I don't know <u>what to do</u> after graduation.

→ _____

11 He turned on the lamp <u>to read</u> a book.

→ _____

12 Is there anybody <u>to help</u> me?

→ _____

• **prize** 상, 상품   • **director** 감독   • **fail** 실패하다; (시험에) 떨어지다   • **graduation** 졸업   • **lose** 잃어버리다

Actual Test

Note

1 다음 중 빈칸에 알맞지 <u>않은</u> 것을 고르세요.

> Jack _____ to learn Chinese.

① decided   ② hoped

③ promised   ④ finished

⑤ wanted

1
to부정사를 목적어로 취
하는 동사를 알아보세요.

[2-3] 다음 중 빈칸에 알맞은 것을 고르세요.

2

> It is important _____ every day.

① work out   ② for work out

③ to work out   ④ to working out

⑤ worked out

2
work out 운동하다

3

> Do you need a pen to write _____?

① with   ② in

③ to   ④ on

⑤ out

4 다음 중 보기의 It과 쓰임이 같은 것을 고르세요.

> <u>It</u> is difficult to learn foreign languages.

① <u>It</u> is my book.

② <u>It</u> is two kilometers from here.

③ <u>It</u> is in the pool next to the garden.

④ <u>It</u> is sunny today.

⑤ <u>It</u> is dangerous to drive a car in the snow.

4
next to ~옆에
dangerous 위험한

[5–6] 다음 중 보기의 밑줄 친 부분과 용법이 같은 것을 고르세요.

5

> There are many places <u>to visit</u> in Seoul.

① I want <u>to meet</u> you.
② I'm so sorry <u>to hear</u> the news.
③ Would you like something <u>to drink</u>?
④ <u>To take care of</u> children is not easy.
⑤ He went to Canada <u>to study</u> English.

5
to부정사가 명사를 수식
하고 있는 용법

6

> I went to the hospital <u>to do</u> voluntary work.

① I have many questions <u>to ask</u>.
② My hobby is <u>to play</u> computer games.
③ <u>To save</u> money is not easy.
④ He worked hard <u>to make</u> money.
⑤ I am happy <u>to meet</u> you.

6

voluntary 자발적인
save 저축하다
make money 돈을
벌다

[7–8] 다음 중 밑줄 친 to부정사의 용법이 <u>다른</u> 것을 고르세요.

7
① I went to the park <u>to ride</u> a bicycle.
② She went to the market <u>to buy</u> some fruits.
③ I am studying hard <u>to pass</u> the test.
④ He visited Seoul <u>to study</u> Korean culture.
⑤ John was glad <u>to meet</u> his grandparents.

7
to부정사의 부사적 용법
을 생각해 보세요.
pass 통과하다, 합격하
다

8
① She came home <u>to take</u> a rest.
② I have no time <u>to waste</u>.
③ I have a lot of books <u>to read</u>.
④ I need someone <u>to help</u> me.
⑤ They had a chance <u>to meet</u> her.

8

waste 낭비하다

9 다음 중 어법상 어색한 문장을 고르세요.

① I know how to use this vacuum cleaner.
② Did you know when to start?
③ Ask your brother where to put this book.
④ Can you tell me where to get to the post office?
⑤ I don't know what to do.

9

vacuum cleaner
진공청소기

10 다음 중 두 문장의 의미가 같도록 빈칸에 알맞은 말을 고르세요.

> He got up early to catch the train.
> = He got up early _____ catch the train.

① order to
② in order for
③ order for
④ in order to
⑤ on order to

11 다음 중 두 문장 전환이 올바르지 않은 것을 고르세요.

① She is so young that she can't read books.
  → She is too young to read books.
② He is so smart that he can answer the question.
  → He's smart enough to answer the question.
③ Sam is so hungry that he can't play the piano.
  → Sam is too hungry to play the piano.
④ Susan is too small to ride a bike.
  → Susan is so small that she can ride a bike.
⑤ It is so warm that we can swim in the lake.
  → It's warm enough to swim in the lake.

12 다음 중 to부정사의 형용사적 용법으로 쓰인 것을 고르세요.

① I want to meet him.
② He likes to dance with Jane.
③ Jack went to Busan to visit his uncle.
④ It's interesting to watch TV.
⑤ I have nothing to do tonight.

[13-14] 다음 중 보기와 뜻이 같은 것을 고르세요.

13

> My sister is too young to go to school.

① My sister is young enough to go to school.
② My sister is so young that she can't go to school.
③ My sister is not young to go to school.
④ My sister is so young that she can go to school.
⑤ My sister is very young, so she can go to school.

14

> Sam is so tall that he can reach the ceiling.

① Sam is so tall to reach the ceiling.
② Sam is enough tall to reach the ceiling.
③ Sam is tall enough to reach the ceiling.
④ Sam is too tall to reach the ceiling.
⑤ Sam is too tall for him to reach the ceiling.

14
ceiling 천장

15 다음 영어를 우리말로 해석하세요.

> It is very dangerous to play in the street.

➡ _____.

15
in the street 거리에서

16 다음 밑줄 친 부분을 바르게 고쳐 쓰세요.

> She has a big house <u>to live</u>.

➡ She has a big house _____.

16
to부정사와 전치사의 관계를 확인해 보세요.

[17–18] 다음 우리말을 영어로 완성하세요.

17 나는 컴퓨터 게임을 하지 않기로 약속했다. (computer games)

➡ I promised not _____.

17
promise 약속하다

18 나는 어디로 가야 할지 모른다. (to go)

➡ I don't know _____.

18
「의문사+to부정사」의 역할을 확인해 보세요.

19 다음 각 빈칸에 공통으로 들어갈 말을 쓰세요.

- We need chairs to sit _____.
- I need some paper to write _____.

➡ _____

20 다음 두 문장을 의미가 같도록 빈칸에 알맞은 영어를 쓰세요.

She was too busy. She couldn't have dinner.

➡ She was _____ busy _____ have dinner.

Chapter 2

동명사

UNIT 01

동명사의 쓰임

동명사란 동사원형에 -ing를 붙여 명사의 역할을 하도록 만든 것으로 '~하는 것', '~하기'로 해석합니다. 명사로 사용되기 때문에 명사가 나올 수 있는 위치, 즉 주어, 보어, 목적어 역할을 합니다.

1. 주어 역할: 문장의 맨 앞부분에 위치하여 '~하는 것은', '~하는 것이'로 해석합니다.

주어	**Swimming** in the sea is a lot of fun. 바다에서 수영하는 것은 매우 재미있다. = To swim in the sea is a lot of fun. **Making spaghetti** is not difficult. 스파게티를 만드는 것은 어렵지 않다. = To make spaghetti is not difficult. **Riding a roller coaster** is exciting. 롤러코스터를 타는 것은 신난다.

Plus 1 • 동명사는 동사의 성격을 가지고 있어, -ing 뒤에 목적어가 올 수 있습니다.

2. 목적어 역할: 동사 다음에 위치하여 동사의 목적어 역할을 하며 '~하는 것을', '~하기를'이라고 해석합니다.

목적어	I **enjoy listening** to music. 나는 음악 듣는 것을 즐긴다. – 동사 enjoy의 목적어 역할 He will **stop smoking.** 그는 금연할 것이다. – 동사 stop의 목적어 역할 How **about going** to the beach? 해변에 가는 거 어때? – 전치사 about의 목적어 역할

* 전치사 다음에 동사를 써야 할 경우 동사 대신 동명사를 써야 합니다.

Plus 2 • 다음 동사 다음에 동사를 목적어로 쓸 경우 그 목적어는 동명사로 써야 합니다.

주어	+	enjoy, keep, practice, stop, finish, give up, quit, mind, avoid, suggest 등	+	동명사(-ing) 목적어

3. 보어 역할: 주로 '~하는 것'으로 해석하며 be동사 뒤에 위치하여 주어에 대한 보충설명을 합니다.

보어	My hobby is **listening** to music. 나의 취미는 음악을 듣는 것이다. = My hobby is to listen to music. His job is **delivering** furniture. 그의 직업은 가구를 배달하는 것이다. = His job is to deliver furniture.

Plus 3 • 주어와 보어 역할을 하는 동명사는 to부정사로 바꿔 표현할 수 있습니다.
Riding a roller coaster is exciting. 롤러코스터를 타는 것은 신난다.
= **To ride** a roller coaster is exciting.

Warm up

정답 및 해설 p

● 다음 괄호 안에서 알맞은 말을 고르세요.

01 (Take / (Taking)) a walk is good for health.

02 Did you finish (read / reading) the comic book?

03 My job is (sell / selling) houses.

04 Would you mind (closing / to close) the window?

05 We decided (accepting / to accept) his offer.

06 They practiced (fixing / to fix) the computer.

07 Did you enjoy (to ride / riding) a horse?

08 She wants (to bake / baking) a cake for them.

09 Sam is good at (speak / speaking) English.

10 I'm interested in (teaching / to teach) children.

11 His goal is (become / becoming) a famous golfer.

12 Jessica stopped (drink / drinking) milk.

13 My father promised (to buy / buying) me a computer.

14 He gave up (smoke / smoking) last year.

15 How about (to eat / eating) hamburgers for lunch?

WORDS

• mind 꺼려하다   • practice 연습하다   • offer 제안, 제공하다   • be good at ~을 잘하다
• be interested in ~에 관심이 있다   • famous 유명한   • golfer 골프 선수   • give up 포기하다

❶ 밑줄 친 동명사가 어떤 역할을 하는지 쓰세요.

01 My dream is <u>living</u> in Paris.   보어

02 Susan is famous for <u>singing</u> beautifully.

03 My mom's hobby is <u>gardening</u>.

04 She kept <u>crying</u> until her mom came.

05 He finished <u>doing</u> his homework.

06 He is good at <u>making</u> cookies.

07 My job is <u>selling</u> books.

08 I am afraid of <u>losing</u> you.

09 <u>Taking</u> pictures is very interesting.

10 Tony is worried about <u>driving</u> in Korea.

11 <u>Teaching</u> children at home has a lot of advantages.

12 She gave up <u>singing</u> a song in front of others.

13 <u>Keeping</u> pets is a good thing.

14 I like <u>playing</u> computer games.

15 My plan is <u>traveling</u> by train.

WORDS

· gardening 원예, 정원 가꾸기   · lose ~을 잃다   · in front of ~앞에   · others 다른 사람들   · advantage 이점
· keep 기르다, ~을 계속하다   · pet 애완동물   · travel 여행하다

❷ 밑줄 친 동명사가 어떤 역할을 하는지 쓰세요.

01 Thank you for <u>buying</u> me a computer.　　　　목적어

02 He finished <u>painting</u> the fence.

03 <u>Keeping</u> a diary every day is not easy.

04 They will stop <u>eating</u> fast food.

05 She is proud of <u>being</u> a nurse.

06 <u>Going</u> fishing is my father's hobby.

07 They kept <u>waiting</u> for me.

08 My dream is <u>studying</u> abroad.

09 <u>Taking</u> care of children is very difficult.

10 <u>Swimming</u> in the river is dangerous.

11 My plan for this Sunday is <u>watching</u> a movie.

12 Are you trying to quit <u>drinking</u>?

13 They hate <u>arguing</u> with each other.

14 You cannot avoid <u>meeting</u> him forever.

15 <u>Riding</u> a roller coaster is very exciting.

WORDS

·fence 울타리, 담장　·be proud of ~을 자랑스럽게 여기다　·abroad 해외에　·argue 논쟁하다　·quit 그만두다
·avoid 피하다　·forever 영원히　·hate 싫어하다, 증오하다

Check up & Writing

1 빈칸에 들어갈 말을 보기에서 골라 동명사로 써서 문장을 완성하세요.

보기

play cross bite sing protect tell eat write sell become watch walk

01 My brother is good at _____playing_____ the guitar.
내 남동생은 기타를 잘 친다.

02 _____ your nails is a bad habit.
손톱을 물어뜯는 것은 나쁜 습관이다.

03 The students are interested in _____ animals.
그 학생들은 동물 보호에 관심이 있다.

04 _____ a lie is bad.
거짓말을 하는 것은 나쁘다.

05 How about _____ fish for dinner?
저녁식사로 생선을 먹는 게 어때?

06 They stopped _____ flowers.
그들은 꽃 파는 것을 중단했다.

07 He enjoys _____ with his parents.
그는 그의 부모님과 산책하는 것을 즐긴다.

08 My dream is _____ a baseball player.
내 꿈은 야구선수가 되는 것이다.

09 Why did you give up _____ a novel?
왜 소설 쓰는 것을 포기했나요?

10 Would you mind _____ my bag?
제 가방을 봐주실래요?

11 _____ the street on a red light is illegal.
빨간 신호에 길을 건너는 것은 불법이다.

12 Sara likes _____ on the stage.
Sara는 무대에서 노래하는 것을 좋아한다.

· habit 습관 · nail 손톱 · bite 물다, 베다 · bad 나쁜 · stage 무대 · cross 건너다 · illegal 불법의

정답 및 해설 p

❷ 다음 우리말과 일치하도록, 주어진 단어를 이용하여 문장을 완성하세요.

01 그의 취미는 팝음악을 듣는 것이다. (to, listen, pop music)

→ His hobby is _____listening to pop music_____.

02 Mike는 사진을 찍는 것을 잘한다. (take, good at, pictures)

→ Mike is _____.

03 내 직업은 아이들에게 역사를 가르치는 것이다. (teach, to children, history)

→ My job is _____.

04 전 세계를 여행하는 것이 그의 꿈이다. (around, the world, travel)

→ _____ is his dream.

05 늦어서 미안합니다. (for, be, late)

→ I am sorry _____.

06 친구를 사귀는 것이 친구를 지키는 것보다 쉽다. (them, than, keep)

→ Making friends is easier _____.

07 라디오 소리를 줄여줄래? (mind, the radio, turn down)

→ Do you _____?

08 오늘 밤 그와 외식하는 거 어때? (with, eat out, him, tonight)

→ How about _____?

09 그들은 2시간 동안 계속 달렸다. (for, run, kept, two hours)

→ They _____.

10 그들은 함께 춤 연습을 했다. (together, practice, dance)

→ They _____.

11 Kevin은 매일 커피 마시는 것을 중단할 것이다. (coffee, every day, drink)

→ Kevin will stop _____.

12 그녀는 저녁식사 전에 그녀의 방청소를 마쳤다. (clean, before, her room)

→ She finished _____ dinner.

WORDS

• keep 유지하다, 지키다   • turn down 소리를 줄이다   • eat out 외식하다   • clean 청소하다

UNIT 02

동명사를 이용한 표현

다음 표현은 반드시 동명사와 함께 해야 의미가 전달되는 표현들입니다.

● 동명사를 이용한 구문

be busy -ing	~하느라 바쁘다	She is **busy doing** the dishes. 그녀는 설거지를 하느라 바쁘다.
be good at -ing	~을 잘하다	Jack **is good at** playing soccer. Jack은 축구를 잘한다.
be worth -ing	~할 가치가 있다	The movie **is worth seeing** again. 그 영화는 다시 볼 가치가 있다.
be used to -ing	~하는 데 익숙하다	Jeff **is used to living** alone. Jeff는 혼자 사는 것에 익숙하다.
can't help -ing	~하지 않을 수 없다	I **can't help falling** in love with her. 그녀와 사랑에 빠지지 않을 수 없다.
feel like -ing	~하고 싶다	I **feel like eating** pizza for lunch. 나는 점심식사로 피자를 먹고 싶다.
go -ing	~하러 가다	We will **go fishing** this Sunday. 우리는 이번 일요일에 낚시하러 갈 것이다.
have trouble -ing	~하는 데 어려움을 겪다	He **had trouble coming** to my house. 그는 우리 집에 오는 데 어려움을 겪었다.
How about -ing ~? (What about -ing) ~?	~하는 게 어때?	**How about going** to the concert tonight? 오늘밤 음악회에 가는 거 어때?
It is no use -ing	~해도 소용없다	**It is no use pouring** water to it. 그것에 물을 부어도 소용없다.
look forward to -ing	~하는 것을 몹시 기대하다	I'm **looking forward to meeting** you soon. 나는 너를 곧 만나기를 몹시 기대하고 있다.
on -ing	~ 하자마자	**On seeing** her mother, the girl started crying. 그녀의 엄마를 보자마자, 그 소녀는 울기 시작했다.
spend+시간/돈+-ing	~하는 데(시간/돈)을 쓰다	She **spent some money buying** flowers. 그녀는 꽃을 사는 데 돈을 좀 썼다.

Plus

• used to+동사원형: ~하곤 했다
He **used to go** there every Sunday. 그는 매주 일요일 그곳에 가곤했다.

Warm up

● 다음 괄호 안에서 알맞은 말을 고르세요.

01 She is busy (to prepare / (preparing)) for the party.
그녀는 파티 준비로 바쁘다.

02 It's no use (to get / getting) angry.
화내봐야 소용없다.

03 He spends too much time (to play / playing) baseball.
그는 많은 시간을 야구하는 데 쓴다.

04 They decided (to attend / attending) the meeting.
그들은 회의에 참석하기로 결심했다.

05 Jack had trouble (to find / finding) the hotel yesterday.
Jack은 어제 호텔을 찾는 데 어려움을 겪었다.

06 She planned (to leave / leaving) tomorrow.
그녀는 내일 떠나기로 계획을 세웠다.

07 She couldn't help (to laugh / laughing) when she saw it.
그녀는 그것을 보고 웃지 않을 수 없었다.

08 I went (to swim / swimming) with Jane.
나는 Jane과 수영하러 갔다.

09 Sam is used to (to eat / eating) Korean food.
Sam은 한국음식을 먹는 데 익숙해졌다.

10 I don't feel like (to drink / drinking) coffee.
나는 커피를 마시고 싶지 않다.

11 How about (to play / playing) soccer after dinner?
저녁식사 후에 축구하러 가는 거 어때?

12 He promised (to help / playing) me.
그는 나를 도와주기로 약속했다.

•**prepare** 준비하다 •**spend** 보내다, 사용하다 •**trouble** 문제, 곤란 •**laugh** 웃다 •**saw** 보았다(see의 과거형)

❶ 주어진 단어를 이용하여 빈칸에 알맞은 말을 쓰세요.

01 She is busy ___practicing___ for the concert. (practice)

그녀는 음악회 연습으로 바쁘다.

02 It's no use _____ the fact. (deny)

사실을 부인해도 소용없다.

03 On _____ his homework, he played computer games. (finish)

숙제를 끝내자마자 그는 컴퓨터 게임을 했다.

04 They refused _____ _____ the question. (answer)

그들은 그 질문에 대답하기를 거절했다.

05 Jason had trouble _____ the car. (fix)

Jason은 자동차를 고치는 데 어려움을 겪었다.

06 The book is worth _____. (read)

그 책은 읽을 가치가 있다.

07 She couldn't help _____ at them. (shout)

그녀는 그들에게 소리 지르지 않을 수 없었다.

08 She and I went _____ during the holiday. (fish)

그녀와 나는 휴가 동안 낚시를 갔다.

09 My parents spent a lot of money _____ the house. (buy)

나의 부모님은 집을 사는 데 많은 돈을 쓰셨다.

10 I don't feel like _____ about him. (talk)

나는 그에 대해 말하고 싶지 않다.

11 How about _____ to the movies tonight? (go)

오늘 밤 영화 보러 가는 거 어때?

12 Tom is used to _____ in the city. (live)

Tom은 도시에 사는 게 익숙해져 있다.

WORDS

· deny 부인하다, 부정하다　· fact 사실　· worth 가치가 있는　· shout 소리 지르다　· during ~동안
· about ~에 관하여

❷ 주어진 단어를 이용하여 빈칸에 알맞은 말을 쓰세요.

01 She didn't mind ____doing____ the laundry for her mother. (do)
그녀는 어머니를 위해 빨래하는 것을 꺼려하지 않았다.

02 My sister is looking forward to _____ his reply. (get)
내 여동생은 그의 대답을 고대하고 있다.

03 My mom is busy _____ dinner. (cook)
엄마는 저녁식사를 요리하느라 바쁘시다.

04 On _____ the news, she turned pale. (hear)
그 소식을 듣자 그녀는 얼굴이 창백해졌다.

05 Let's go _____ this weekend. (fish)
이번 주말에 낚시 가자.

06 She hoped _____ _____ an actress. (become)
그녀는 배우가 되기를 희망했다.

07 What about _____ tennis today? (play)
오늘 테니스 치는 거 어떠니?

08 It's worth _____ the movie. (watch)
그 영화는 볼 가치가 있다.

09 I don't feel like _____ a walk today. (take)
나는 오늘 산책하고 싶지 않다.

10 They are used to _____ uniforms. (wear)
그들은 유니폼을 입는 것에 익숙해져 있다.

11 Is Susie interested in _____? (dance)
Susie는 춤추는 것에 관심이 있니?

12 They want _____ _____ a rest now. (take)
그들은 지금 휴식을 하기를 원한다.

· laundry 빨래 · reply 대답 · actress 여배우 · turn (…한 상태로) 변하다 · pale 창백한 · rest 휴식

1 다음 밑줄 친 부분을 바르게 고쳐 쓰세요.

01 I feel like <u>drink</u> cold water.   drinking

02 She has trouble <u>sleep</u> at night.

03 Are you busy <u>clean</u> your room?

04 They are planning to go <u>ski</u>.

05 It is no use <u>talk</u> about that.

06 I can't help <u>think</u> about the accident.

07 On <u>arrive</u> in Korea, they went to the museum.

08 Annie is looking forward to <u>travel</u> to Canada.

09 They are good at <u>speak</u> French.

10 How about <u>invite</u> Jessie to the party?

11 She spent a lot of money <u>fix</u> the computer.

12 Sam is used to <u>get up</u> early.

13 My uncle used to <u>smoking</u>, but he gave up last year.

14 She could not help <u>run</u> out of the room.

15 She was busy <u>to answer</u> the phone calls.

· sleep 자다   · accident 사고   · French 프랑스어   · travel 여행하다

❷ 다음 보기의 표현들과, 주어진 단어를 이용하여 문장을 완성하세요.

보기

how about   spent   look forward to   worth   trouble   am used to
busy   is good at   feel like   It is no use   on   couldn't help

01 내일 도서관에 가는 거 어때? (go)

→ _____ How about going _____ to the library tomorrow?

02 우리는 곧 당신을 만나기를 고대합니다. (meet)

→ We _____ you soon.

03 나는 소파에서 자는 것에 익숙하다. (sleep)

→ I _____ on the sofa.

04 모든 언어가 배울 가치가 있다. (learn)

→ Every language is _____.

05 그는 숙제를 끝내자마자 피자를 주문했다. (finish)

→ _____ the homework, he ordered pizza.

06 그녀는 아버지를 도와주느라 바빴다. (help)

→ She was _____ her father.

07 나는 스파게티를 먹고 싶지 않다. (eat)

→ I don't _____ spaghetti.

08 아버지는 노래를 잘하신다. (sing)

→ My father _____.

09 나는 그녀를 보고 울지 않을 수 없었다. (cry)

→ I _____ when I saw her.

10 그는 그들의 이름을 기억하는 데 어려움을 겪었다. (remember)

→ He had _____ their names.

11 이 차를 고쳐봤자 소용없다. (fix)

→ _____ this car.

12 그녀는 고기를 사는 데 돈을 좀 썼다. (buy)

→ She _____ some money _____ meat.

WORDS

· look forward to ~을 고대하다   · order 주문하다   · remember 기억하다   · fix 고치다   · meat 고기

UNIT 03

동사+동명사 / 동사+to부정사

동사에 따라 동명사와 to부정사의 쓰임이 다양하므로 각 쓰임을 알아두어야 합니다.

1. 동명사 혹은 to부정사 둘 다 목적어로 취하는 동사

> love, like, begin, start, hate, continue

She **continued to cry**. 그녀는 계속해서 울었다.
= She **continued crying**.
It **started to rain** suddenly. 갑자기 비가 내리기 시작했다.
= It **started raining** suddenly.

2. 동명사와 부정사를 둘 다 목적어로 사용할 수 있지만, 의미가 달라지는 동사

remember+to 동사원형 ~해야 하는 것을 기억하다[아직 안 한 행동] **remember+동명사(ing)** ~했던 것을 기억하다[이미 한 행동]	He **remembers to attend** the meeting tomorrow. 그는 내일 모임에 참석해야 하는 것을 기억한다. He **remembers attending** the meeting last year. 그는 작년에 모임에 참석했다는 것을 기억한다.
forget+to 동사원형 ~해야 하는 것을 잊다[아직 안 한 행동] **forget+동명사(ing)** ~했던 것을 잊다[이미 한 행동]	I **forgot to take** the medicine this morning. 나는 아침에 약 먹는 것을 잊었다. I **forgot taking** the medicine this morning. 나는 아침에 약을 먹었다는 것을 잊었다.

Plus

• stop+동명사 vs. stop+to부정사
「stop+동명사」는 '하는 것을 멈추다'라는 의미이고 「stop+to부정사」는 '~하기 위해 멈추다'라는 의미입니다.
I **stopped to drink** some water. 물을 마시기 위해 멈췄다.
I **stopped drinking** water. 물을 마시는 것을 멈췄다.

3. 동명사와 현재분사

동명사와 현재분사는 둘 다 「동사원형+ing」로 같은 형태를 갖지만, 동명사는 명사 역할을 하여 문장 안에서 주어·목적어·보어로 사용될 수 있으며, 현재분사는 형용사 역할을 하여 명사를 수식하거나 보어로 사용될 수 있고, 진행시제에도 사용됩니다.

She is **reading** a book. 그녀는 책을 읽고 있다. (현재분사 – 진행형)
Her hobby is **reading**. 그녀의 취미는 독서다. (동명사)
Peter kept **smiling** at me. Peter가 계속해서 나에게 미소 지었다. (동명사 – 목적어 역할)
Do you know that **smiling** boy? 저 웃고 있는 소년을 아니? (현재분사 – 형용사 역할)
└─ 명사 수식

Warm up

● 다음 괄호 안에서 알맞은 말을 고르세요. [두 가지 형태가 가능한 경우에는 둘 다 고르세요.]

01 I like ((to teach) / (teaching)) children.
나는 아이들을 가르치는 것을 좋아한다.

02 Don't forget (to return / returning) this book today.
이 책을 오늘 반납하는 것을 잊지 마라.

03 She stopped (to drink / drinking) water.
그녀는 물을 마시기 위해 멈췄다.

04 Cathy started (to learn / learning) English.
Cathy는 영어를 배우기 시작했다.

05 She remembered (to meet / meeting) me at the party.
그녀는 파티에서 나를 만난 것을 기억했다.

06 He stopped (to write / writing) a novel.
그는 소설 쓰는 것을 중단했다.

07 She forgot (to give / giving) me some money yesterday.
그녀는 어제 내게 돈을 좀 준 것을 잊었다.

08 I forgot (to turn / turning) off the lamp.
나는 등을 꺼야 한다는 것을 잊었다.

09 Do you know that (to cry / crying) boy?
저 울고 있는 소년을 아니?

10 She stopped (to talk / talking) with my friend.
그녀는 내 친구와 얘기하기 위해 멈췄다.

11 Sara hates (to eat / eating) fish.
Sara는 생선 먹는 것을 싫어한다.

12 She is (to read / reading) a book.
그녀는 책을 읽고 있다.

• return 돌려주다   • turn off ~을 끄다   • hate 싫어하다

❶ 주어진 단어를 이용하여 빈칸에 알맞은 말을 쓰세요.

01 She remembers ____meeting____ him when she was young. (meet)
그녀는 어렸을 때 그를 만났던 것을 기억한다.

02 Don't forget _____ the light when you go out. (turn off)
외출할 때 불을 끄는 것을 잊지 마라.

03 It continued _____ all day. (rain)
비가 하루 종일 내렸다.

04 I remember _____ a letter to him. (send)
나는 그에게 편지를 보냈던 것을 기억한다.

05 My father stopped _____. (smoke)
아빠는 담배를 피우기 위해서 멈추셨다.

06 Don't forget _____ your garden tomorrow. (water)
내일 정원에 물주는 거 잊지 마라.

07 The _____ boy is my son. (sleep)
그 잠자는 소년은 내 아들이다.

08 She started _____ a song in front of the students. (sing)
그녀는 학생들 앞에서 노래를 하기 시작했다.

09 He is _____ to the radio now. (listen)
그는 지금 라디오를 듣고 있다.

10 She stopped _____ fast food to lose weight. (eat)
그녀는 살을 빼기 위해 패스트푸드 먹는 것을 멈췄다.

11 She likes _____ a bicycle. (ride)
그녀는 자전거 타는 것을 좋아한다.

12 Jake forgot _____ the gate. (lock)
Jake은 문을 잠가야 하는 것을 잊었다.

WORDS
· continue 계속하다   · young 어린, 젊은   · all day 하루 종일   · water 물을 주다   · gate 문   · lock 잠그다

❷ **주어진 단어를 이용하여 빈칸에 알맞은 말을 쓰세요.**

01 I will continue to support [supporting] him. (support)
나는 계속 그를 지원할 것이다.

02 The baby began _____ when he saw me. (cry)
그 아기는 나를 보자 울기 시작했다.

03 She forgot _____ the cat. (feed)
그녀는 고양이한테 먹이를 줘야 할 것을 잊었다.

04 He doesn't remember _____ the contract. (sign)
그는 계약서에 서명한 것을 기억하지 못한다.

05 I remember _____ my key on the sofa. (put)
나는 소파 위에 열쇠를 놓아 둔 것을 기억한다.

06 Do you know the _____ girl over there? (swim)
저쪽에서 수영하는 소녀를 아니?

07 They ran out of the _____ house. (burn)
그들은 불타는 집에서 뛰어나왔다.

08 I forgot _____ Susan. (call)
나는 Susan에게 전화해야 할 것을 잊었다.

09 I will stop _____ on the Internet. (shop)
나는 인터넷으로 쇼핑하는 것을 멈출 것이다.

10 Cathy stopped _____ to music. (listen)
Cathy는 음악을 듣기 위해 멈췄다.

11 My dad likes _____ letters in English. (write)
아버지는 영어로 편지 쓰는 것을 좋아하신다.

12 Sam remembers _____ flowers to her today. (send)
Sam은 오늘 그녀에게 꽃을 보내야 하는 것을 기억하고 있다.

WORDS

• support 지원하다 • sign 서명하다 • contract 계약서 • put 놓다 • run out of ~로부터 달려 나오다
• burn 태우다, 불타다 • over there 저쪽에 • call 전화하다 • in English 영어로

Check up & Writing

① 다음 보기에서 알맞은 단어를 골라 알맞은 형태로 바꿔 쓰세요. [두 가지 형태가 가능한 경우에는 둘 다 쓰세요.]

> **보기**
>
> | snow | visit | watch | keep | sing | take |
> | change | buy | drink | blow | stay | bring |

01 3일 동안 계속 눈이 왔다.

→ It continued _____to snow [snowing]_____ for three days.

02 너는 3년 전에 그 마을을 방문했던 것을 기억하니?

→ Do you remember _____ the village three years ago?

03 Jackie는 대학에 들어간 후 사진 찍는 것을 멈췄다.

→ Jackie stopped _____ pictures after he entered college.

04 먼저 건전지를 바꿔보는 게 어때?

→ How about _____ the batteries first?

05 집에 가는 길에 물을 좀 사는 것을 잊지 마.

→ Don't forget _____ some water on your way home.

06 그는 케이크 위의 촛불들을 불어 끄기 시작했다.

→ He started _____ out the candles on the cake.

07 그는 아이들과 함께 집에서 지내는 걸 좋아한다.

→ He likes _____ home with his children.

08 Tim은 내년에 술 마시는 것을 멈출 것이다.

→ Tim will stop _____ next year.

09 숙제 가지고 오는 것을 잊지 마라.

→ Don't forget _____ your homework.

10 나는 다른 사람들 앞에서 노래한 것을 기억한다.

→ I remember _____ a song in front of others.

11 그녀는 애완동물로 개를 키우고 있다.

→ She is _____ a dog as a pet.

12 그들은 퍼레이드를 보려고 멈췄다.

→ They stopped _____ the parade.

WORDS

· bring 가지고 오다 · keep 키우다 · pet 애완동물 · spend 보내다

❷ 다음 우리말과 일치하도록, 주어진 단어를 이용하여 문장을 완성하세요.

01 Jessie는 휴대 전화를 받기 위해 멈췄다. (stopped, the cell phone, answer)

➡ Jessie _____ stopped to answer the cell phone _____.

02 그 소녀는 그 동물원에 방문했던 것을 잊었다. (forgot, the zoo, visit)

➡ The girl _____.

03 저 울고 있는 소녀를 아니? (cry, girl, that)

➡ Do you know _____?

04 우산 가져가는 것을 잊지 마라. (forget, umbrella, take, your)

➡ Don't _____.

05 그녀는 내일까지 그 가구를 배달해야 하는 것을 기억한다. (the furniture, deliver, by tomorrow)

➡ She remembers _____.

06 그는 그의 딸에게 소포 보냈던 것을 잊었다. (the package, send, to his daughter)

➡ He forgot _____.

07 그들은 그녀에 대해 더 이상 얘기하는 것을 멈췄다. (about, talk, any more, her)

➡ They stopped _____.

08 그는 내게 같은 질문을 계속했다. (ask, question, the same, me)

➡ He continued _____.

09 Ted는 컴퓨터를 사기 위해 돈을 낭비하는 것을 멈췄다. (waste, money, a computer, to buy)

➡ Ted stopped _____.

10 그는 작년에 이곳에서 일하기 시작했다. (last year, work, here)

➡ He started _____.

11 그들은 짠 음식 먹는 것을 싫어 한다. (salty, eat, food)

➡ They hate _____.

12 엄마는 한국음식 요리하는 것을 좋아한다. (cook, food, Korean)

➡ My mom likes _____.

 **WORDS**

• umbrella 우산 • take ~을 가져가다 • same 동일한 • waste 낭비하다 • salty 짠

1 다음 밑줄 친 부분을 바르게 고쳐 쓰세요.

01 <u>Play</u> basketball with my friends is really fun.   Playing / To play

02 She is interested in <u>write</u> poems in English.

03 He finished <u>to paint</u> all the benches in the park.

04 She and I talked about <u>draw</u> pictures.

05 Don't forget <u>bringing</u> your wife next time.

06 He planned <u>going</u> to the zoo this weekend.

07 <u>Eat</u> too much meat is not good for your health.

08 <u>Go</u> to the concert is my hobby.

09 She spent many hours <u>to practice</u> the piano.

10 I'm looking forward to <u>receive</u> your response.

11 They are used to <u>stay up</u> late.

12 He wants to <u>telling</u> his secret to me.

13 They enjoy <u>watch</u> action movies.

14 She is busy <u>do</u> dishes and preparing breakfast.

15 They hoped to <u>having</u> a room with an ocean view.

· bring 데리고 오다   · next time 다음에   · health 건강   · practice 연습하다   · secret 비밀   · ocean 바다   · view 경치

❷ 다음 밑줄 친 부분을 바르게 고쳐 쓰세요.

01 Would you mind <u>to close</u> the door?　　　　　　　closing

02 She gave up <u>try</u> to understand him.

03 Some people have trouble <u>concentrate</u>.

04 Ann will spend most of her time <u>work</u>.

05 Thank you for <u>teach</u> me English.

06 I can't help <u>worry</u> about you.

07 I'm sorry for not <u>come</u> in time.

08 He went to America to <u>studying</u> English.

09 It is not easy to <u>swimming</u> in the river.

10 Do you know the <u>smile</u> girl?

11 The children in the room kept <u>to make</u> noises.

12 She is good at <u>drive</u>.

13 I practice <u>play</u> the violin every day.

14 He is planning <u>visiting</u> his uncle.

15 Could you stop <u>to sing</u> when I read a book?

• understand 이해하다　• concentrate 집중하다　• worry about ~대해 걱정하다　• in time 제시간에

③ 다음 우리말과 일치하도록, 보기의 단어와 주어진 단어를 이용하여 문장을 완성하세요.

보기

enjoy	forgot	goes	spend	how about	is used to
kept	feel like	busy	stopped	avoid	no use

01 We often _____enjoy sunbathing_____. (sunbathe)
우리는 자주 일광욕을 즐긴다.

02 David _____ every Sunday. (fish)
David는 매주 일요일에 낚시하러 간다.

03 He is going to _____ two hours _____ a book. (read)
그는 책 읽는 데 2시간을 사용할 예정이다.

04 _____ tonight? (eat out)
오늘 밤에 외식하는거 어때?

05 Alice _____ in the apartment. (live)
Alice는 아파트에 사는 게 익숙하다.

06 Sam is _____ care of his pets. (take)
Sam은 애완동물을 돌보느라 바쁘다.

07 It is _____ to persuade her. (try)
그녀를 설득해도 소용이 없다.

08 He _____ TV to finish his homework. (watch)
그는 숙제를 끝내기 위해 TV 보는 것을 중단했다.

09 I _____ tonight. (go out)
나는 오늘밤 외출하고 싶다.

10 I _____ an email to her. (send)
나는 그녀에게 이메일을 보내야 한다는 것을 잊었다.

11 You have to _____ soda to stay healthy. (drink)
건강을 유지하기 위해서는 탄산음료 마시는 것을 피해야 한다.

12 Jane _____ about the final question. (think)
Jane은 마지막 질문에 대해 계속 생각했다.

WORDS

• sunbathe 일광욕하다　• persuade 설득하다　• go out 외출하다　• soda 탄산음료　• stay 유지하다　• final 마지막의

❹ **다음 영어를 우리말로 쓰세요.**

01 His goal is having his own house.

→ _____그의 목표는 자기 소유의 집을 갖는 것이다._____

02 I'm interested in growing plants.

→ _____

03 His dad forgot giving him money.

→ _____

04 They are worried about making a mistake.

→ _____

05 He gave up looking for a job.

→ _____

06 We couldn't help going to the party.

→ _____

07 How about going back home tomorrow?

→ _____

08 My mother is talking on the phone.

→ _____

09 Learning a foreign language is very useful.

→ _____

10 Smith is used to wearing a helmet when he rides a bike.

→ _____

11 She was busy helping her mother last night.

→ _____

12 I remember seeing your mother at the park.

→ _____

WORDS

• own 자신의 • grow 재배하다 • plant 식물 • mistake 실수 • on the phone 전화로 • useful 유용한
• helmet 헬멧

Actual Test

[1-2] 다음 중 빈칸에 알맞지 <u>않은</u> 것을 고르세요.

1

I _____ singing a song in front of others.

① loved   ② liked
③ planned   ④ gave up
⑤ remembered

2

He _____ studying English.

① enjoyed   ② refused
③ stopped   ④ finished
⑤ kept

[3-4] 다음 중 빈칸에 알맞은 것을 고르세요.

3

Mike is afraid of _____ a horse.

① ride   ② rides
③ to ride   ④ riding
⑤ rode

4

She spent some money _____ a cake.

① buy   ② bought
③ to buying   ④ to buy
⑤ buying

[5-6] 다음 중 빈칸에 들어 갈 말이 바르게 짝지어진 것을 고르세요.

5

• Thank you for _____ me.
• She decided _____ camping.

① invite - going   ② inviting - going
③ inviting - to going   ④ to invite - going
⑤ inviting - to go

5
*전치사+동명사 /
decide+to부정사

6

• He is planning _____ his parents.
• My mom avoids _____ fatty foods.

① visit - eat   ② to visit - to eat
③ visiting - to eat   ④ to visit - eating
⑤ to visit - eat

6
avoid ~을 피하다
fatty 지방이 많은, 기름진

7 다음 중 밑줄 친 부분을 대신할 수 있는 것을 고르세요.

The topic is <u>keeping</u> pets at home.

① keep   ② to keep
③ kept   ④ to keeping
⑤ keeps

7
at home 집에서
topic 주제

8 다음 중 밑줄 친 부분의 쓰임이 <u>다른</u> 것을 고르세요.

① How about <u>going</u> hiking?
② <u>Traveling</u> by train is great fun.
③ He's good at <u>dancing</u> and singing.
④ They are <u>playing</u> basketball in the gym.
⑤ He stopped <u>talking</u> to watch TV.

8
동명사와 현재분사의 쓰임을 알아보세요.
How about ~ ? /
What about ~ ?
~하는 거 어때?

[9–10] 다음 중 어법상 <u>어색한</u> 문장을 고르세요.

9   ① I will continue playing baseball.
     ② She stopped reading a book.
     ③ He gave up learning English.
     ④ I finished to clean the living room.
     ⑤ We enjoyed watching a baseball game on TV.

10   ① I feel like drinking water.
     ② She can't help think about her grades.
     ③ Running every day is good for your health.
     ④ His job is helping patients.
     ⑤ He knows many ways of helping people.

11   다음 중 어법상 옳은 문장을 고르세요.

     ① I promised to going to the party.
     ② I enjoy to walk in the sunshine.
     ③ They decided going to the beach.
     ④ Thank you for invite me to the party.
     ⑤ Would you mind opening the door for me?

12   다음 중 대화의 밑줄 친 부분에 들어갈 말을 고르세요.

> A: Are you ready for breakfast?
> B: No, I don't feel _____ anything.

   ① eating   ② to eat
   ③ like eating   ④ like to eat
   ⑤ like eat

Note

9
동명사를 목적어 취하는
동사를 알아보세요.
clean 청소하다

10
patient 환자
grade 점수, 등급
way 방법

11
to부정사를 목적어 취하
는 동사를 알아보세요.
전치사 다음에 동사가 와
야 할 경우에는 동명사가
옵니다.

13 다음 중 빈칸에 들어갈 알맞은 전치사를 고르세요.

> _____ finishing the homework, he turned on the computer.

① On   ② To   ③ In
④ For   ⑤ At

13
전치사 다음에 동사가 와야 할 경우에는 동명사가 옵니다.

14 다음 중 의미가 바르지 <u>않게</u> 해석된 것을 고르세요.

① My father stopped smoking.
아빠는 담배를 끊으셨다.

② She stopped to drink water.
그녀는 물을 마시기 위해 멈췄다.

③ I forgot to send a letter to him.
나는 그에게 편지 보냈던 것을 잊어버렸다.

④ He forgot meeting her at the party.
그는 그녀를 파티에서 만났던 것을 잊었다.

⑤ I started to run a race.
나는 달리기 경주를 시작했다.

14
race 경주

15 다음 중 우리말을 영어로 바르게 쓴 것을 고르세요.

> 우리는 이번 일요일에 너를 만나는 것을 몹시 기대하고 있다.

① We are looking to meet you this Sunday.
② We are looking forward meeting you this Sunday.
③ We are looking forward to meeting you this Sunday.
④ We are looking forward for meeting you this Sunday.
⑤ We are looking forward to meet you this Sunday.

16 다음 빈칸에 들어갈 알맞은 말을 쓰세요.

> My friends play basketball very well.
> = My friends is good _____.

➡ _____

16
be good at ~을 잘하다

17 우리말과 뜻이 같도록 영어 문장을 완성하세요.

> 나는 차 마시는 것에 익숙하다. (drink)

→ I am _____ tea.

Note

[18-19] 다음 영어를 우리말로 쓰세요.

18 He stopped to take pictures.

→ _____

18
「stop+to부정사」의 의미를 알아보세요.
take pictures 사진을 찍다

19 I can't help reading the magazine.

→ _____

20 다음 잘못된 부분을 찾아 바르게 고쳐 쓰세요.

> 나는 계속 숙제를 할 것이다.
> I'm going to keep to do my homework.

→ _____ → _____

20
동명사를 목적어 취하는 동사를 알아보세요.

분사

UNIT 01 현재분사

분사는 형용사 역할을 하여 명사 앞이나 뒤에서 명사를 수식하며, 현재분사와 과거분사 두 가지가 있습니다. 현재분사는 「동사원형+-ing」의 형태로 명사를 수식하거나 보어 역할을 합니다.

1. 명사를 앞에서 수식하는 경우

The **crying** girl is my sister. 울고 있는 소녀는 나의 여동생이다.

We saw **flying** birds. 우리는 날아가는 새들을 보았다.

I heard a **shocking** news about the company. 나는 그 회사에 대한 충격적인 뉴스를 들었다.

 Plus 1 • 분사 혼자서 명사를 수식하는 경우 분사는 명사 앞에 위치합니다.

2. 명사를 뒤에서 수식하는 경우

분사 뒤에 분사 자체의 목적어 또는 「전치사+명사」 등의 어구가 연결되어 있을 때는 명사의 뒤에서 수식합니다.

명사+분사+분사의 목적어	The **man washing a car** is my father. 세차하고 있는 남자는 나의 아버지이다. Do you know the **girl playing the piano**? 피아노 치는 소녀를 아니?
명사+분사+전치사 +명사	The **girl singing on the stage** is from Canada. 무대에서 노래를 부르는 그 소녀는 캐나다에서 왔다. Do you know the **woman sitting on the bench**? 너는 벤치에 앉아 있는 여자를 아니?

3. 보어의 역할

동사 뒤에 위치하여 주어에 대한 보충설명을 하는 주격보어로 사용되거나, 목적어 뒤에 위치하여 목적어에 대한 보충설명을 하는 목적격보어로 사용됩니다.

주격보어 (주어의 상태나 동작을 나타내는 경우)	The news is **surprising**. 그 소식은 놀랍다. Sam is **running** to school. Sam은 학교로 달려가고 있다. (현재진행)
목적격보어 (목적어의 상태나 동작을 나타내는 경우)	We watched **her playing** the guitar. 우리는 그녀가 기타 치는 것을 보았다. He found the **game interesting**. 그는 그 게임이 흥미롭다는 것을 알았다.

 Plus 2 • be동사 뒤에 동작동사의 -ing가 오면 진행 시제를 이루어 「be동사+-ing」를 하나의 동사로 취급하고, 감정동사의 -ing 가 오면 주격보어로 취급합니다.

The game is starting. 게임이 시작하고 있다.
　　주어　　　동사

The game is boring. 그 게임은 지루하다.
　　주어　동사　주격보어

Warm up

정답 및 해설 p.

● 다음 괄호 안에서 알맞은 말을 고르세요.

01 Look at the (flying bird / bird flying).

02 Look at (the playing boys / the boys playing) baseball on the ground.

03 Do you know the (singing boy / boy singing)?

04 The (barking dogs / dogs barking) are my uncle's.

05 The (barking dogs / dogs barking) at us are my uncle's.

06 The (sleeping baby / baby sleeping) is very cute.

07 The (sleeping baby / baby sleeping) on the bed is very cute.

08 They are looking for (shocking news / news shocking).

09 He is (taking pictures / pictures taking) in the park.

10 The (sitting girls / girls sitting) under the tree are my friends.

11 There are (hanging pictures / pictures hanging) on the wall.

12 The (reading boy / boy reading) a book in the library is Jack.

13 The (dancing girl / girl dancing) is from Canada.

14 He escaped from the (burning car / car burning).

15 The (talking man / man talking) with my mom is a doctor.

• bark 짖다   • cute 귀여운   • shocking 충격적인, 놀라운   • hang 걸다   • burning 불타는

1 다음 영어를 우리말로 쓰세요.

01 a barking dog   짖고 있는 개

02 a sleeping baby

03 a burning house

04 a running boy

05 a shining stone

06 an exciting movie

07 a cleaning woman

08 a flying bird

09 crying babies

10 a shocking story

11 a jumping frog

12 singing boys

13 dancing students

14 yelling children

15 a smiling woman

· shining 빛나는   · jump 점프하다   · yell 소리 지르다

❷ 다음 영어를 우리말로 쓰세요.

01 the boy sleeping on the sofa
소파에서 잠자는 소년

02 the girl chewing gum

03 the man washing a car

04 the girl singing on the stage

05 the man looking at me

06 the woman cleaning the room

07 the dog barking at me

08 the bird sitting on the tree

09 the plane flying in the sky

10 the woman resting under the tree

11 the man shouting at her

12 the people working at the bank

13 the boy studying in the library

14 the frog jumping into the pond

15 the man waving at me

· chew 씹다 · shout 소리 지르다 · pond 연못 · wave 손을 흔들다

❶ 다음 우리말과 일치하도록 보기의 단어를 이용하여 문장을 완성하시오.

> **보기**
>
> shock   talk   surprise   fix   twinkle   swim
> excite   cry   sleep   enter   cut   stand

01 그들은 그녀에 대한 충격적인 뉴스를 들었다.

→ They heard ___shocking___ news about her.

02 나무를 자르고 있는 남자는 내 아버지이다.

→ The man _____ the tree is my dad.

03 전화하고 있는 소녀는 누구니?

→ Who is the girl _____ on the phone?

04 나는 침대 위에서 잠자는 아기를 보았다.

→ I saw a baby _____ on the bed.

05 그들은 놀라운 재능이 있다.

→ They have _____ talents.

06 엄마는 수영장에서 수영하고 계신다.

→ My mom is _____ in the pool.

07 한국과 일본 사이의 야구경기가 매우 흥미로웠다.

→ The baseball game between Korea and Japan was very _____.

08 너는 그 우는 여자를 아니?

→ Do you know the _____ woman?

09 하늘에 반짝이는 별들이 많이 있다.

→ There are many stars _____ in the sky.

10 나는 그 건물에 들어가는 남자를 보았다.

→ I saw a man _____ the building.

11 버스정류장에 서 있는 사람들은 한국인이다.

→ The people _____ at the bus stop are Koreans.

12 컴퓨터를 고치고 있는 남자는 나의 삼촌이다.

→ The man _____ the computer is my uncle.

WORDS

· talent 재능   · twinkle 빛나다   · enter 들어가다   · Korean 한국인

❷ 다음 우리말과 일치하도록, 주어진 단어를 이용하여 문장을 완성하세요.

01 공원에서 말을 타는 그 소녀는 누구니? (the girl, ride, a horse)

→ Who is _____ the girl riding a horse _____ in the park?

02 소들에게 먹이를 주는 소년들은 나의 아들들이다. (the boys, the cows, feed)

→ _____ are my sons.

03 그들은 혼란스러운 상황을 끝내려고 했다. (the, confuse, situation)

→ They tried to end _____.

04 나는 매우 재미있는 컴퓨터 게임을 가지고 있다. (computer game, very, interest)

→ I have a _____.

05 너는 사무실에서 나오는 그 노인 분을 알고 있니? (out of the office, the old man, come)

→ Do you know _____?

06 여기에 닭에 대한 10가지 놀라운 사실이 있다. (facts, surprise, chickens, about)

→ Here are 10 _____.

07 부엌에서 요리하고 있는 남자는 내 아버지이시다. (cook, the man, in the kitchen)

→ _____ is my father.

08 그 방에서 음악을 듣고 있는 소년들은 나와 같은 반 친구들이다. (music, the boys, listen to)

→ _____ in the room are my classmates.

09 무대에서 춤을 추고 있는 학생들은 Jane과 Tina이다. (the students, on the stage, dance)

→ _____ are Jane and Tina.

10 나무 위에 노래하는 새가 있다. (on the tree, a bird, sing)

→ There is _____.

11 그는 자신의 국가에 대한 놀라운 정보를 폭로했다. (shock, information, his country, about).

→ He revealed _____.

12 공원 잔디 위에 누워 있는 사람이 많다. (people, lie, on the grass)

→ There are many _____ in the park.

WORDS

· confusing 혼란스러운   · situation 상황   · fact 사실   · reveal 폭로하다, 밝히다   · information 정보
· lie 눕다, 누워 있다

UNIT 02 과거분사

과거분사는 「동사원형+ed(동사의 과거분사형)」 형태로 현재분사와 마찬가지로 형용사 역할을 하며 수동(~된)이나 완료(~하여진, ~되어 있는) 등의 의미를 가지고 있습니다.

1. 명사를 앞에서 수식하는 경우

There are many **fallen leaves** on the street. 거리에 많은 떨어진 잎들이 있다.

I bought **frozen meat** yesterday. 나는 어제 냉동된 고기를 샀다.

She is looking at the **broken window**. 그녀는 깨어진 창문을 보고 있다.

2. 명사를 뒤에서 수식하는 경우 : 과거분사 뒤에 「전치사+명사」 등의 수식어구가 함께 올 때 과거분사는 명사의 뒤에서 수식하며, 이때 수식어구를 먼저 해석합니다.

명사+분사+ 수식어구 (명사와 수동의 관계)	I'm going to buy a **car made in Korea**. 나는 한국에서 만들어진 차를 살 것이다. I need a **novel written** in **English**. 나는 영어로 쓰인 소설이 필요하다.

3. 보어의 역할 : 동사 뒤에 위치하여 주어에 대한 보충설명을 하는 주격보어로 사용되거나, 목적어 뒤에 위치하여 목적어에 대한 보충설명을 하는 목적격보어로 사용됩니다.

주격보어 ~된, ~가 완료된(주어의 상태나 동작을 나타내는 경우)	The glass is **broken**. 그 유리는 깨졌다. The ground is **frozen** so hard. 지면이 매우 단단히 얼었다.
목적격보어 ~된, ~가 완료된(목적어의 상태나 동작을 나타내는 경우)	He saw **many cars made** in Korea. 그들은 한국에서 만들어진 많은 차를 보았다. He saw **his house destroyed** by the storm. 그는 폭풍우로 파괴된 그의 집을 보았다.

 Plus　• 주어와 보어, 목적어와 보어의 관계가 수동일 때 보어로 과거분사가 옵니다.

4. 감정을 나타내는 분사

현재분사 (~한 감정을 느끼게 하는) – 능동 (주어가 사물일 때)	과거분사 (~한 감정을 느끼는) – 수동 (주어가 사람일 때)
boring(지루한), exciting(신나는, 흥미진진한), shocking(충격적인), confusing(혼란스러운), interesting(흥미 있는), surprising(놀라운), amazing(놀라운) 등	bored(지루해 하는), excited(신이난, 들뜬), shocked(충격을 받은), confused ((사람이) 혼란스러워하는), interested(관심[흥미] 있어 하는), surprised(놀라는), amazed ((대단히) 놀란) 등
The movie is **boring**. 그 영화는 지루하다.	He is **bored**. 그는 지루해 한다.

Warm up

정답 및 해설 p.

● 다음 괄호 안에서 알맞은 말을 고르세요.

01 I was (shocking / (shocked)) at the news.
나는 그 소식에 충격을 받았다.

02 The people are very (exciting / excited).
그 사람들은 흥분해 있다.

03 My father bought a (using / used) car last month.
아버지는 지난 달 중고차를 사셨다.

04 I think the story is very (interesting / interested).
나는 그 이야기가 매우 재미있다고 생각한다.

05 She bought a cell phone (making / made) in Korea.
그녀는 한국에서 만든 휴대전화기를 샀다.

06 I saw the product (advertising / advertised) on TV.
나는 그 제품이 TV에 광고되는 것을 보았다.

07 They were (surprising / surprised) to hear the news.
그들은 뉴스를 듣고 놀랐다.

08 The (falling / fallen) leaves are all over the ground.
낙엽들이 거리 곳곳에 있다.

09 He looks a little (disappointing / disappointed).
그는 약간 실망한 것처럼 보인다.

10 That soccer game was so (exciting / excited).
저 축구경기는 매우 흥미로웠다.

11 He told me (shocking / shocked) news about it.
그는 나에게 그것에 관한 놀라운 소식을 말했다.

12 I want my room (filling / filled) with flowers.
나는 나의 방이 꽃들로 가득 차기를 원한다.

13 Jenny and I were (satisfying / satisfied) with the test results.
Jenny와 나는 시험결과에 만족해했다.

14 I am (interesting / interested) in that movie.
나는 저 영화에 관심이 있다.

15 The movie made me (depressing / depressed).
그 영화는 나를 우울하게 했다.

• **advertise** 광고하다   • **all over** 전체에   • **fill** 채우다   • **satisfied** 만족해하는   • **depressed** (기분이) 우울한

① 다음 영어를 우리말로 쓰세요.

01 a used car   중고차

02 frozen meat

03 a broken computer

04 a dried fish

05 fallen leaves

06 stolen jewelry

07 a decayed tooth

08 a drunk driver

09 a boiled egg

10 baked potatoes

11 a polluted river

12 a swollen face

13 a burned tree

14 a lost dog

15 fried food

WORDS

· frozen 냉동된 · broken 고장 난 · jewelry 보석 · decayed 썩은 · bake 굽다 · pollute 오염되다
· swollen 부어 오른(swell의 과거분사) · boil 끓이다 · lost 잃어버린 · fry 튀기다

❷ 다음 영어를 우리말로 쓰세요.

01 a bag made in Korea   한국에서 만든 가방

02 the letter sent by Jane

03 a book written in English

04 the car parked in front of my house

05 the houses destroyed by a storm

06 the house built on the hill

07 a roof covered with snow

08 the pictures hung on the wall

09 a movie directed by him

10 the money given to me

11 a machine invented last month

12 the people invited to the party

13 the money found on the floor

14 the girl born in London

15 the food cooked with fresh vegetables

· hill 언덕   · cover 덮다, 가리다   · direct 감독하다   · find 발견하다   · floor 바닥

❶ 다음 우리말과 일치하도록 보기의 단어를 이용하여 문장을 완성하세요.

보기

| interest | draw | build | write | fill | park | give |
| order | injure | collect | cover | advertise | | |

01 This is a good place for the people ___interested___ in sports.
이곳은 운동에 관심 있는 사람에게 좋은 장소이다.

02 Have you ever seen the coins _____ by Sam?
너는 Sam이 모은 동전을 본 적이 있니?

03 This is a house _____ 100 years ago.
이것은 100년 전에 지어진 집이다.

04 I want to see the pictures _____ by you.
나는 네가 그린 그림들을 보고 싶다.

05 She is reading a novel _____ in Japanese.
그녀는 일본어로 쓰인 소설을 읽고 있다.

06 We saw the street _____ with vehicles.
우리는 자동차로 가득 찬 거리를 보았다.

07 He is washing the car _____ with dust.
그는 먼지로 덮인 차를 닦고 있다.

08 Sally bought the shoes _____ on TV.
Sally는 TV에서 광고한 신발을 샀다.

09 We haven't sent the furniture _____ last week.
우리는 지난주에 주문된 가구를 보내지 않고 있다.

10 The car _____ by the tree is mine.
그 나무 옆에 주차된 자동차는 내 것이다.

11 I spent all the money _____ to me.
나는 내게 준 돈을 모두 썼다.

12 The man _____ in the car accident is my friend.
자동차 사고로 부상당한 사람은 내 친구다.

WORDS

· place 장소 · collect 모으다 · draw 그리다 · vehicle 차량 · dust 먼지 · order 주문하다 · by ~옆에
· injure 부상을 입히다

❷ 다음 우리말과 일치하도록, 주어진 단어를 이용하여 문장을 완성하세요.

01 그는 바닥에 떨어진 가방을 들어올렸다. (the bag, fall, on the floor)
→ He picked up _____the bag fallen on the floor_____.

02 나는 내일까지 내 컴퓨터가 수리되기를 원한다. (my computer, by tomorrow, fix)
→ I want _____.

03 엄마가 요리한 음식은 매우 맛있다. (the food, by, my mom, cook)
→ _____ is very delicious.

04 그는 전쟁에서 부상당한 군인들을 치료했다. (wound, the soldiers, in, the war)
→ He cured _____.

05 빨간색으로 칠해진 집이 Jane의 집이다. (in red, the house, paint)
→ _____ is Jane's house.

06 Jackson은 과학에 관심이 있는 학생들을 가르친다. (the students, science, interested in)
→ Jackson teaches _____.

07 선생님은 나의 생각을 만족해 하셨다. (be, satisfy, with my idea)
→ My teacher _____.

08 그가 그녀의 연설을 들었을 때 그는 지루함을 느꼈다. (feel, he, bore)
→ _____ when he listened to her speech.

09 Sara는 그녀 가족의 반응에 실망했다. (Sara, be, disappoint)
→ _____ with her family's reaction.

10 그녀에게 보내온 편지는 충격적이었다. (send, the letter, to her)
→ _____ was shocking.

11 그녀가 쓴 소설들은 매우 재미있다. (the novels, by her, write)
→ _____ are very interesting.

12 한국과 일본 간의 축구경기는 매우 흥미로웠다. (between, the soccer game, play)
→ _____ Korea and Japan was very exciting.

WORDS

· pick up ~을 집다[들어 올리다]　· wound 부상당하다　· soldier 군인　· speech 연설　· reaction 반응

UNIT 03 분사구문

분사구문이란 「접속사+주어+동사」의 부사절을 분사를 이용하여 부사구로 바꾸는 것입니다.

1. 분사구문 만드는 법

When I saw him, I called his name. 그를 봤을 때 나는 그의 이름을 불렀다.
  (부사절)   (주절)
→ **Seeing him,** I called his name.

1 접속사를 없앤다.   ~~When~~ I saw him, I called his name.
2 부사절의 주어를 없앤다.   ~~I~~ saw him, I called his name. (주절의 주어와 부사절의 주어가 같은 경우)
3 부사절의 동사를 현재분사로 바꾼다.   Seeing him, I called his name.

2. 분사구문의 의미

시간: ~할 때(when), ~한 후(after)	When she reads the book, she feels bored. → **Reading the book**, she feels bored. (그 책을 읽을 때)
원인, 이유: ~하기 때문에, ~해서(as, because)	Because she is young, she can't ride a roller coaster. → **Being young**, she can't ride a roller coaster. (어리기 때문에)
동시동작: ~하는 동안 (while, as)	While he had dinner, he watched TV. → **Having dinner,** he watched TV. (저녁을 먹으면서)
조건, 양보: ~한다면(if), ~할지라도(though)	Though she is short, she is good at playing basketball. → **Being short**, she is good at playing basketball. (키가 작을지라도)

3. 동명사와 현재분사

현재분사	1 명사를 수식 – The **sleeping** baby is my cousin. 2 보어 역할 – I saw him **entering** the house. (목적격보어) 3 be동사와 함께 진행형 – They **are playing** soccer.
동명사	1 주어 – **Reading** is my hobby. 2 보어 – My hobby is **reading**. 3 타동사의 목적어 – She enjoys **playing** the guitar. 4 전치사의 목적어 – She is good **at playing** the guitar. 5 명사 앞에 쓰여 용도를 나타냄 – We need a **sleeping** bag.

Plus

- 현재분사: 명사를 꾸며줌 / 동명사: 명사의 용도 설명
  a **sleeping** bag (침낭) – 동명사   a **sleeping** baby (잠자는 아기) – 현재분사
  a **swimming** cap (수영 모자) – 동명사   a **swimming** boy (수영하는 소년) – 현재분사

Warm up

● 다음 괄호 안에서 밑줄 친 부분에 알맞은 우리말을 고르세요.

01 <u>Studying hard</u>, she became a scientist.

(열심히 공부하면 / 열심히 공부했기 때문에)

02 They are looking for <u>a smoking room</u>.

(흡연실 / 연기 나는 방)

03 <u>Arriving home</u>, she took a shower.

(집에 온다면 / 집에 도착한 후)

04 <u>Eating pizza</u>, he read a book.

(피자를 먹기 때문에 / 피자를 먹으면서)

05 <u>Doing his homework</u>, he listened to the radio.

(숙제를 하면서 / 숙제를 할지라도)

06 <u>Being young</u>, he can speak English very well.

(어리기 때문에 / 어릴지라도)

07 <u>Being young</u>, she can't ride a horse.

(어리기 때문에 / 어릴지라도)

08 <u>Watching TV</u>, I heard a strange noise.

(TV를 보기 때문에 / TV를 볼 때)

09 <u>Being busy</u>, she couldn't finish the report.

(바쁘기 때문에 / 바쁠지라도)

10 <u>Finishing his homework</u>, he played computer games.

(숙제를 마친 후 / 숙제 때문에)

11 <u>Having dinner</u>, she brushes her teeth.

(저녁식사를 마친 후 / 저녁식사 때문에)

12 <u>Being hungry</u>, I couldn't sleep last night.

(배가 고파서 / 배가 고플지라도)

· scientist 과학자 · strange 이상한 · noise 소음 · brush 닦다

❶ 다음 빈칸에 알맞은 분사구문을 쓰세요.

01 While she ate lunch, she watched TV.
→ _____Eating lunch_____, she watched TV.

02 After he took a rest, he felt much better.
→ _____, he felt much better.

03 Though she is poor, she is very happy.
→ _____, she is very happy.

04 As she studied hard, she passed the test.
→ _____, she passed the test.

05 Because he is rich, he can buy a house.
→ _____, he can buy a house.

06 As he had a toothache, he didn't go to school.
→ _____, he didn't go to school.

07 While she took a shower, she hummed to herself.
→ _____, she hummed to herself.

08 When he saw Jessie on the street, he waved at her.
→ _____, he waved at her.

09 After we finished painting the wall, we went swimming.
→ _____, we went swimming.

10 When I walked down the street, I met my friend, Jackson.
→ _____, I met my friend, Jackson.

11 As she was sick, she couldn't eat anything.
→ _____, she couldn't eat anything.

12 Though I am short, I play baseball very well.
→ _____, I play baseball very well.

WORDS

· take a rest 휴식하다   · hard 열심히   · toothache 치통   · wave 손을 흔들다   · hum 콧노래를 부르다
· though ~일지라도   · short 키가 작은

❷ 다음 빈칸에 알맞은 분사구문을 쓰세요.

01 Though he is young, he is very smart.

→ _____Being young_____, he is very smart.

02 While she sang softly, she walked in the garden.

→ _____, she walked in the garden.

03 As I was tired, I went to bed early.

→ _____, I went to bed early.

04 When I arrived at the station, I found the train had just left.

→ _____, I found the train had just left.

05 When he saw his mom, he jumped with joy.

→ _____, he jumped with joy.

06 As the book was written quickly, it had many mistakes.

→ _____, the book had many mistakes.

07 If you turn to the left, you will see the museum.

→ _____, you will see the museum.

08 When she heard the news, she was very surprised.

→ _____, she was very surprised.

09 After she took a shower, she dried her hair.

→ _____, she dried her hair.

10 While I took a walk, I thought about her.

→ _____, I thought about her.

11 As I have no money with me, I can't help you.

→ _____, I can't help you.

12 Though she is rich, she is not happy.

→ _____, she is not happy.

WORDS

· softly 부드럽게   · joy 기쁨   · quickly 빠르게   · dry 말리다   · think about ～에 대해 생각하다

❶ 다음 영어를 우리말로 쓰세요.

01 Spending all her money, she couldn't buy a house.

→ _____ 그녀는 돈을 모두 써서 집을 살 수가 없었다.

02 Walking in the park, I met James.

→ _____

03 Watching a movie, she ate popcorn.

→ _____

04 Finishing my homework, I went to the museum.

→ _____

05 Being sick, I lost my appetite.

→ _____

06 Hearing the news, he was shocked.

→ _____

07 Waiting for her, I read a book.

→ _____

08 Shaking his both legs, he watched TV.

→ _____

09 Living in England, she can't speak English.

→ _____

10 Seeing me, he ran away.

→ _____

11 Winning the championship, they were very excited.

→ _____

12 Being tall, she doesn't play basketball well.

→ _____

• popcorn 팝콘   • appetite 식욕   • shake 흔들다   • run away 도망가다

② 다음 우리말과 일치하도록, 주어진 단어를 이용하여 문장을 완성하세요.

01 그는 숙제를 마친 후 야구를 했다. (do, homework, his)
→ _____ Doing his homework _____, he played baseball.

02 그는 컴퓨터를 고치면서 라디오를 들었다. (fix, a computer)
→ _____, he listened to the radio.

03 돈이 없어서 그녀는 컴퓨터를 살 수 없었다. (have, money, no)
→ _____, she couldn't buy a computer.

04 그녀는 어릴지라도 자전거를 탈 수 있다. (young, be)
→ _____, she can ride a bike.

05 흡연실에 많은 사람들이 있다. (people, in, room, the, smoke)
→ There are a lot of _____.

06 나는 해변을 따라 걷다가 우연히 옛 친구를 만났다. (walk, the beach, along)
→ _____, I ran into my old friend.

07 거리를 건널 때 그는 오른손을 올렸다. (the, cross, street)
→ _____, he raised his right hand.

08 그는 그녀의 연설을 들었을 때 졸렸다. (listen, speech, to, her)
→ _____, he felt sleepy.

09 나는 열심히 했기 때문에 어제 조금 피곤했다. (hard, work)
→ _____, I felt a little tired yesterday.

10 그녀는 일찍 일어났지만 학교 버스를 놓쳤다. (early, get up)
→ _____, she missed a school bus.

11 그녀는 돈이 좀 있어서, 그를 위해 선물을 살 수 있었다. (some, have, money)
→ _____, she could buy a gift for him.

12 그녀는 학교 가면서 교통사고를 당했다. (to, go, school)
→ _____, she had a car accident.

WORDS

• cross 건너다 • raise 올리다 • sleepy 졸린 • miss 놓치다 • gift 선물 • accident 사고

Level up

1 다음 주어진 단어를 이용하여, 빈칸에 알맞은 말을 쓰세요.

01 The movie was ___boring___. (bore)
→ I was ___bored___ with the movie. (bore)

02 The game was very _____. (excite)
→ We were _____ to see the game. (excite)

03 She is _____ in science. (interest)
→ Science is an _____ subject. (interest)

04 I was _____ about the news. (confuse)
→ The news was _____. (confuse)

05 It's _____ to listen to that sort of music. (please)
→ I am _____ to meet you. (please)

06 We were _____ by the scandal. (shock)
→ The scandal was _____. (shock)

07 The teachers were _____ at his score. (surprise)
→ His score was _____. (surprise)

08 We were _____ at his courage. (amaze)
→ His courage was _____. (amaze)

09 They were _____ with the result. (satisfy)
→ The result was _____. (satisfy)

10 It was a _____ report. (disappoint)
→ We were _____ with the report. (disappoint)

11 Her speech was _____. (touch)
→ I was _____ by her speech. (touch)

· confuse 혼란스럽게 하다 · scandal 스캔들 · pleased 기쁜 · amaze 놀라게 하다 · courage 용기 · result 결과
· disappoint 실망시키다 · touch 감명받다 · touching 감동적인

② 다음 영어를 우리말로 쓰세요.

01 She saw a woman singing in the street.

➡ _____ 그녀는 거리에서 노래하는 여성을 보았다. _____

02 She helped those living in the streets.

➡ _____

03 What is the language used in Brazil?

➡ _____

04 Waiting for her, I sang a song.

➡ _____

05 Opening her arms, she welcomed him.

➡ _____

06 They found a broken vase in the room.

➡ _____

07 He caught a flying mosquito.

➡ _____

08 The woman cooking dinner is my aunt.

➡ _____

09 They are the guests staying at the hotel.

➡ _____

10 Being sick, he was absent from school yesterday.

➡ _____

11 The boy watering the plants is my cousin.

➡ _____

12 Cleaning her room, she listened to the radio.

➡ _____

WORDS

· language 언어　· use 사용하다　· those 그들, 그 사람들　· catch 잡다(과거형 caught)　· mosquito 모기
· find 발견하다　· guest 손님　· absent 결석한　· water 물을 주다

❸ 다음 우리말과 일치하도록 보기의 단어를 이용하여 문장을 완성하세요.

보기

sit	pick up	kill	rise	use	shout
take	miss	build	find	fry	interest

01 The girl _____sitting_____ on the chair is my daughter.
의자에 앉아 있는 소녀는 내 딸이다.

02 Do you know the woman _____ the broken glass?
깨진 유리를 집고 있는 여성을 아니?

03 He felt sorry for the victims _____ in the war.
그는 그 전쟁으로 죽임을 당한 희생자들에 대해 유감을 느꼈다.

04 We want to buy a house _____ on the hill.
우리는 언덕 위에 지어진 집을 사고 싶다.

05 The coins _____ under the chair are mine.
의자 밑에서 발견한 동전들은 내 것이다.

06 Is anyone _____ in our reading club?
우리 독서 모임에 관심 있는 사람 있니?

07 I am sick of the _____ potatoes.
나는 튀긴 감자가 지겹다.

08 Peter bought a _____ computer yesterday.
Peter는 어제 중고 컴퓨터를 샀다.

09 He saw the _____ sun in the morning.
그는 아침에 떠오르는 태양을 보았다.

10 The man _____ at me is my father.
나에게 소리치는 사람은 나의 아버지이시다.

11 The police are looking for the _____ children.
경찰이 실종된 아이들을 찾고 있다

12 He is _____ care of the lion injured in the jungle.
그는 정글에서 부상당한 사자를 돌보고 있다.

WORDS
· broken 깨진 · pick up 줍다 · biology 생물학 · rise 솟아오르다 · shout 소리 지르다 · injure 부상을 입히다
· jungle 정글

4 다음 우리말과 일치하도록 보기의 단어를 이용하여 문장을 완성하세요.

> **보기**
>
> shock   lock   steal   clean   bore   see
> love   cry   walk   excite   be   paint

01 The boy ___standing___ near the door is my cousin.
문 근처에 서 있는 소년은 내 사촌이다.

02 The student _____ the blackboard is Brown.
칠판을 지우고 있는 학생은 Brown이다.

03 Look at the wall _____ in white.
하얀색으로 칠해진 벽을 보아라.

04 We thought his lecture was _____.
우리는 그의 강의가 지루하다고 생각했다.

05 _____ me, he called my name.
그가 나를 보았을 때 나의 이름을 불렀다.

06 Who is the boy _____ toward us?
우리를 향해 걸어오는 그 소년은 누구니?

07 Linda is the girl _____ by everyone.
Linda는 모든 사람에게 사랑받는 소녀이다.

08 The _____ baby looks sleepy.
그 우는 아기는 졸린 거 같다.

09 It's a(n) _____ documentary about Africa.
그것은 아프리카에 관한 흥미 있는 다큐멘터리이다.

10 _____ smart, he failed to pass the test.
그는 영리할지라도 시험에 통과하는 데 실패했다.

11 They found the _____ car last week.
그들은 지난주 그 도난당한 차를 발견했다.

12 He will open the gate _____ with chains.
그는 체인으로 잠긴 대문을 열 것이다.

WORDS
· blackboard 칠판   · lecture 강의   · toward ~을 향해   · documentary 다큐멘터리   · steal 훔치다   · lock 잠그다

Actual Test

1 다음 중 과거분사의 형태가 바르지 <u>않은</u> 것은 것을 고르세요.

① build - built   ② love - loved

③ catch - caught   ④ steal - stole

⑤ move - moved

Note

[2-4] 다음 중 빈칸에 알맞은 것을 고르세요.

2
> I was a little _____ .

① excite   ② excited

③ to excite   ④ exciting

⑤ excites

2
현재분사와 과거분사의
쓰임을 알아보세요.

3
> They can't live in the _____ river.

① pollute   ② polluting

③ pollution   ④ polluted

⑤ to pollute

3
현재분사는 능동, 과거분
사는 수동의 관계에 쓰입
니다.
pollute 오염시키다

4
> The woman _____ glasses is my mom.

① wear   ② wears

③ to wear   ④ to wearing

⑤ wearing

5   다음 중 빈칸에 들어갈 말이 바르게 짝지어진 것을 고르세요.

> • The boy looked _____.
> • The soccer game was _____.
> • The news was very _____.

① surprised   excited   interested
② surprised   exciting   interesting
③ surprising   excited   interested
④ surprising   exciting   interesting
⑤ surprised   excited   interesting

5
감정을 느끼게 할 때는 현재분사, 감정을 느끼게 될 때는 과거분사를 씁니다.

[6-7] 다음 중 밑줄 부분의 쓰임이 나머지와 <u>다른</u> 것을 고르세요.

6   ① Who's that man <u>washing</u> a car?
② Look at the girl <u>dancing</u> over there.
③ The girl <u>singing</u> in the rain is my sister.
④ The woman <u>crossing</u> the street is my mom.
⑤ Elderly people like <u>talking</u> to others.

6
동명사와 현재 분사의 쓰임을 알아보세요.
over there 저쪽에
cross 건너다
elderly 나이 든

7   ① Seeing is <u>believing</u>.
② <u>Playing</u> baseball is my life.
③ My hobby is <u>collecting</u> stamps.
④ Look at the <u>dancing</u> girls on the stage.
⑤ Jane enjoys <u>riding</u> a horse.

7
동명사와 현재분사의 쓰임을 알아보세요.

8   다음 중 어법상 옳은 문장을 고르세요.

① The computer game was excited.
② She looked tiring.
③ It sounded interested.
④ Your brother got exciting.
⑤ This book is very interesting.

[9-10] 다음 중 어법상 <u>어색한</u> 문장을 고르세요.

9 ① I met tourists coming from Seattle.

② This is the letter written in English.

③ I like the smell of the burning leaves.

④ Look at the mountain covering with snow.

⑤ The boy standing near the door is my cousin.

10 ① I'm interested in movies.

② She was very confused.

③ The movie was exciting.

④ The house painted in red is Tina's.

⑤ I was surprising at the news.

[11-12] 다음 중 두 문장이 의미가 같도록 빈칸에 알맞은 말을 고르세요.

11
| Being young, she is wise. |
| = _____ she is young, she is wise. |

① When　　　② While　　　③ As
④ Though　　⑤ Because

12
| Having no money, he didn't take a trip. |
| = _____ enough money, he didn't take a trip. |

① While he has no money　　② If he had no money
③ As he has no money　　④ As he had no money
⑤ Though he had no money

9
현재분사와 과거분사의
쓰임을 알아보세요.
burning 불타는
tourist 관광객
near 근처에

10
현재분사는 능동, 과거분사는 수동의 관계에 쓰인다.

12
take a trip 여행하다

13 다음 중 두 문장의 연결이 <u>어색한</u> 것을 고르세요.

① Being young, she can speak English well.

= Though she is young, she can speak English well.

② Seeing me, he ran away.

= When he saw me, he ran away.

③ Having dinner, he read a newspaper.

= While he had dinner, he read a newspaper.

④ Being sick, Tom was absent from school.

= Because Tom was sick, he was absent from school.

⑤ Walking along the street, I met Judy.

= Though I was walking along the street, I met Judy.

Note

13
though ~일지라도
while ~하는 동안
as ~ 때문에, ~할 때

14 다음 중 보기의 두 문장을 바르게 연결한 것을 고르세요.

- I saw butterflies.
- They were flying away.

① I saw butterflies they were flying away.

② I saw butterflies were flying away.

③ I saw they were flying away.

④ I saw butterflies flying away.

⑤ I saw them they flying away.

14
butterfly 나비
fly away 날아가다

15 다음 중 보기의 분사구문과 의미가 같은 문장을 고르세요.

Hearing the news, he felt sad.

① Before he heard the news, he felt sad.

② When he heard the news, he felt sad.

③ Though he heard the news, he felt sad.

④ Despite he heard the news, he felt sad.

⑤ If he heard the news, he felt sad.

16 다음 주어진 단어를 이용하여 알맞은 말을 쓰세요.

> We were _____ to hear the news. (excite)

➡ _____

17 다음 문장을 분사구문으로 바꾸세요.

> After I got off the train, I called my mom.

➡ _____

18 다음 영어를 우리말로 쓰세요.

> Getting up early, she missed the first train.

➡ _____

19 다음 빈칸에 알맞은 말을 쓰세요.

> 그 바이올린을 연주하는 여성은 나의 고모이시다.
> → The woman _____ the violin _____ my aunt.

➡ _____

20 다음 주어진 단어를 이용하여 영작해 보세요.

> 너는 그 울고 있는 소녀를 아니? (cry, the, girl)

➡ _____

Review Test

정답 및 해설 p.13

❶ 다음 밑줄 친 부분을 바르게 고쳐 쓰세요.　　　　　　　　　　　Chapter 1

01 I need someone <u>help</u> me.　　　　　　　　　　　　　to help

02 Please give me <u>to drink something</u>.

03 I am looking for a house <u>to live</u>.

04 She has some clothes <u>wash</u>.

05 Tony has no suit <u>wear</u> for the party.

06 I need a piece of paper <u>to write in</u>.

07 He planned to <u>opening</u> a new restaurant near the town.

❷ 다음 보기의 단어를 이용하여 빈칸에 알맞은 말을 쓰세요.　　　　Chapter 1

> 보기
>
> to　　it　　enough　　too　　can　　can't

01 It is important _____to_____ keep the game rules.

02 She is _____ young to ride a horse.

03 _____ is a good idea to help your brother.

04 She is so smart that she _____ understand the novel.

05 He is so tired that he _____ play with his son.

06 My uncle is rich _____ to buy the sports car.

WORDS
• someone 누군가　• open 열다　• near ~근처에　• keep 지키다　• rule 규칙

❸ 다음 영어를 우리말로 해석하고 to부정사의 용법을 쓰세요.

01 We are happy to have the new gym.

부사적 용법

➡ ____우리는 새로운 체육관을 갖게 되어 기쁘다.____

02 He didn't have a chance to learn French.

➡ _____

03 It's dangerous to swim in this river.

➡ _____

04 We decided to take pictures of them.

➡ _____

05 He wants to be a soccer player.

➡ _____

06 We promised to meet in front of the theater tonight.

➡ _____

07 I have a lot of work to do now.

➡ _____

08 I am glad to meet you.

➡ _____

09 She is very kind to help me.

➡ _____

10 I have no food to give them.

➡ _____

11 I have a few questions to ask you.

➡ _____

12 I am going to a supermarket to buy some apples.

➡ _____

WORDS

· dangerous 위험한   · take pictures 사진을 찍다   · promise 약속하다

4 다음 괄호 안에서 알맞은 말을 고르세요.

Chapter 2

01 Did you finish (read /(reading)) the magazine?
너 잡지 다 읽었니?

02 Peter is good at (speak / speaking) Chinese.
Peter는 중국어를 잘한다.

03 Jack had trouble (to find / finding) my office.
Jack은 내 사무실을 찾는 데 어려움을 겪었다.

04 She can't help (to feel / feeling) sorry for him.
그녀는 그에 대해 동정을 금할 수 없다.

05 Are you interested in (learn / learning) a musical instrument?
너는 악기를 배우는 것에 관심이 있니?

06 They are planning to go (to fish/ fishing).
그들은 낚시 하러 갈 계획을 하고 있다.

07 I forgot (to meet / meeting) Susan yesterday.
나는 어제 Susan을 만나야 하는 것을 잊었다.

08 Annie is looking forward to (meet / meeting) him.
Annie는 그를 만나기를 고대하고 있다.

09 The movie is worth (to watch / watching) twice.
그 영화는 두 번 볼 가치가 있다.

10 I forgot (to turn off / turning off) the computer before I went out.
나는 외출하기 전 컴퓨터를 꺼야 한다는 것을 잊었다.

11 She stopped (to drink / drinking) water.
그녀는 물을 마시기 위해 멈췄다.

12 She stopped (to eat / eating) at night to lose weight.
그녀는 살을 빼기 위해 밤에 먹는 것을 멈췄다.

· trouble 문제, 곤란   · musical instrument 악기   · sorry 유감스러운, 안쓰러운   · twice 두 번

5 다음 주어진 단어를 이용하여 빈칸에 알맞은 말을 쓰세요.　　　Chapter 2

01　We often enjoy ____swimming____ in the river. (swim)
　　우리는 종종 강에서 수영하는 것을 즐긴다.

02　David goes _____ every Sunday. (shop)
　　David는 매주 일요일에 쇼핑하러 간다.

03　She forgot _____ those a few months ago. (buy)
　　그녀는 저것들을 몇 달 전에 샀다는 것을 잊었다.

04　Sam spent his life _____ the poor. (help)
　　Sam은 평생을 가난한 사람을 돕는데 보냈다.

05　How about _____ to the movies after dinner? (go)
　　저녁식사 후 영화 보러 가는 거 어때?

06　Alice forgot _____ the door. (lock)
　　Alice는 문을 잠가야 하는 것을 잊었다.

07　Jack is used to _____ food at night. (eat)
　　Jack은 밤에 음식 먹는 거에 익숙하다.

08　Mike is busy _____ for final exams. (prepare)
　　Mike는 기말고사를 준비 하느라 바쁘다.

09　She tried to avoid _____ him forever. (meet)
　　그녀는 그를 만나는 것을 영원히 피하기 위해 노력했다.

10　He remembered _____ an e-mail to her. (send)
　　그는 그녀에게 이메일을 보내야 한다는 것을 기억했다.

11　He gave up _____ a lawyer. (become)
　　그는 변호사 되기를 단념했다.

12　Jane refused _____ my apology. (accept)
　　Jane은 내 사과를 받아들이는 것을 거부했다.

· forever 영원히　· avoid 피하다　· lawyer 변호사　· refuse 거절하다　· accept 받아들이다　· apology 사과

6 다음 괄호 안에서 알맞은 말을 고르세요.

Chapter 3

01 He told me a (shocked / shocking) story.

02 I saw a woman (baking / baked) delicious cakes.

03 I heard an (interesting / interested) rumor about you.

04 The men watching the game were (exciting / excited).

05 Who is the girl (talking / talked) with him at the cafe?

06 I like the boy (moving / moved) the boxes.

07 I saw the bridge (building / built) over the river.

08 They are looking for cameras (making / made) in Korea.

09 The pictures (taking / taken) in the park are not clear.

10 I want to eat food (cooking / cooked) with fresh vegetables.

11 My friends were too (frightening / frightened) to speak.

12 The man (shouted / shouting) at her is my uncle.

13 She asked me a (confused / confusing) question.

14 There is a car (parked / parking) behind my house.

15 The student (asked / to ask) a question looked embarrassed.

WORDS

· shocking 충격적인 · delicious 맛있는 · rumor 소문 · clear 선명한 · confusing 혼란스러운 · shout 소리 지르다
· behind ~뒤에 · embarrassed 당황한

[1-5] 다음 중 빈칸에 알맞은 것을 고르세요.

1

He saw a man _____ on the phone.

① screams
② scream
③ screaming
④ to scream
⑤ to be screaming

2

He must be smart _____ say that.

① in
② to
③ of
④ no
⑤ for

3

You look _____. What's wrong?

① tire
② tiring
③ tired
④ to tire
⑤ for tiring

4

She decided _____ hard.

① to studying
② to study
③ study
④ studying
⑤ to studied

5

Tom went _____ this morning.

① to swimming
② to swim
③ swim
④ swimming
⑤ for swim

[6-7] 다음 중 빈칸에 알맞지 않은 것을 고르세요.

6

I _____ singing a song in front of others.

① mind
② like
③ hope
④ give up
⑤ remember

7

Jina _____ to help them.

① enjoyed
② hoped
③ promised
④ wanted
⑤ decided

[8-9] 다음 빈칸에 들어갈 말이 바르게 짝지어진 것을 고르세요.

8

• The game was _____.
• The girl was _____.
• The movie was _____.

① exciting - confused - touching
② excited - confusing - touched
③ exciting - confusing - touched
④ excited - confused - touched
⑤ exciting - confused - touched

9

> • I will fix the _____ computer.
> • The man _____ the guitar is my dad.

① breaking - playing
② breaking - played
③ broken - playing
④ breaking - to play
⑤ break - playing

10 다음 밑줄 친 부분의 쓰임이 **다른** 것을 고르세요.

① He is <u>sleeping</u> in the living room.
② I like <u>collecting</u> stamps.
③ His nickname is a <u>flying</u> pig.
④ I know the man <u>swimming</u> over there.
⑤ I'm <u>going</u> to school now.

[11-12] 다음 중 밑줄 친 부분과 용법이 같은 것을 고르세요.

11

> They have no place <u>to live</u> in.

① He went to America <u>to study</u> English.
② Mr. Kim is happy <u>to meet</u> her.
③ There are so many things <u>to see</u> there.
④ He wants <u>to become</u> a good teacher.
⑤ It is difficult for me <u>to sing</u> a song.

12

> I'm going to London <u>to meet</u> my father.

① Can I get you anything <u>to eat</u>?
② Sara wants <u>to have</u> a cat.
③ I'm sorry <u>to hear</u> that.
④ I am happy <u>to meet</u> you.
⑤ She will go to the market <u>to buy</u> some fruits.

13 다음 중 밑줄 친 부분과 쓰임이 같은 것을 고르세요.

> I practice <u>playing</u> the piano every day.

① Who is the woman <u>singing</u> on the stage?
② The girl <u>eating</u> pizza is my friend.
③ He is <u>parking</u> his car now.
④ My mother is <u>talking</u> on the phone.
⑤ <u>Learning</u> foreign languages is not easy.

14 다음 중 밑줄 친 부분의 용법이 나머지와 **다른** 것을 고르세요.

① They need some food <u>to eat</u>.
② He needs some water <u>to drink</u>.
③ There are many things <u>to sell</u> in this box.
④ You must work hard if you want <u>to succeed</u>.
⑤ There are many books <u>to read</u> in the library.

15 다음 중 밑줄 친 부분의 쓰임이 나머지 넷과 **다른** 것을 고르세요.

① <u>It</u> is hard to learn English.
② <u>It</u> is safe to wear a helmet.
③ Is <u>it</u> easy to ride a horse?
④ Is <u>it</u> important thing to you?
⑤ <u>It</u> is dangerous to swim in the river.

16 다음 중 빈칸에 알맞은 것을 고르세요.

> She likes to read books, _____ to music.

① to listening
② to listen
③ listen
④ listening
⑤ for listen

17 다음 중 두 문장의 의미가 같도록 빈칸에 알맞은 말을 고르세요.

> Being young, she can speak English well.
> = _____ she is young, she can speak English well.

① Though   ② As   ③ If
④ When   ⑤ While

18 다음 중 보기의 분사구문과 의미가 같은 문장을 고르세요.

> Hearing the news, he was very surprised.

① Before he heard the news, he was very surprised.
② When he heard the news, he was very surprised.
③ Though he heard the news, he was very surprised.
④ While he hears the news, he is very surprised.
⑤ If he heard the news, he was very surprised.

[19-20] 다음 우리말을 영어로 바르게 쓴 것을 고르세요.

19
> 졸업 후 무엇을 해야 할지 모르겠다.

① I don't know when to do after graduation.
② I don't know how to do after graduation.
③ I don't know where to do after graduation.
④ I don't know what to do after graduation.
⑤ I don't know why to do after graduation.

20
> 그녀는 밤에 운전하는 것에 익숙하다.

① She used to driving a car at night.
② She is used to drive a car at night.
③ She is being used to driving a car at night.
④ She is used to driving a car at night.
⑤ She is used for driving a car at night.

[21-22] 다음 중 어법상 바르지 <u>않은</u> 것을 고르세요.

21 ① Cathy goes to shopping every weekend.
② My sister enjoys drinking tea.
③ Are you sure of passing the test?
④ She avoids keeping a dog at home.
⑤ He started calling our names.

22 ① I don't feel like drinking coffee now.
② I am busy to prepare the party.
③ She wanted to take a nap.
④ They are good at shooting arrows.
⑤ I didn't really enjoy eating corn.

23 다음 보기의 두 문장을 한 문장으로 만들 때 옳은 문장을 고르세요.

> She went to the restaurant.
> She wanted to eat spaghetti.

① She went to the restaurant eat spaghetti.
② She ate spaghetti to go to the restaurant.
③ She went to the restaurant eating spaghetti.
④ She went to the restaurant to eat spaghetti.
⑤ She went to the restaurant but she didn't eat spaghetti.

24 다음 빈칸에 들어갈 말을 쓰세요.

> I have few friends to play _____.
> 나는 함께 놀 친구가 거의 없다.

→ _____

25 다음 각 빈칸에 들어갈 말을 쓰세요.

> • He asked me _____ to start.
>   그는 내게 언제 출발하는지 물었다.
> • She didn't decide _____ to wear
>   for the party.
>   그녀는 파티에서 무엇을 입을지 결정하지
>   못했다.

→ _____

26 주어진 단어를 이용하여 빈칸에 알맞은 말을 쓰세
요.

1) > I look forward to _____ from
>   you soon. (hear)

→ _____

2) > There are many places _____ in
>   Korea. (visit)

→ _____

27 다음 빈칸에 두 문장이 의미가 같도록 알맞은 말을
쓰세요.

> I'm so busy that I can't meet you today.
> = I'm _____ busy _____ meet you
>   today.

→ _____

28 다음 영어를 우리말로 쓰세요.

> I sang a song, waiting for a bus.

→ _____

29 주어진 단어를 이용하여 빈칸에 알맞은 말을 쓰세요.

> A: Was the soccer game _____?
>   (excite)
> B: Yes, it was. I was very _____ at
>   the game. (excite)

→ _____

30 다음 주어진 단어들을 이용하여 문장을 완성하세요.

> 너는 저쪽에서 울고 있는 소년을 아니?
> (cry, the boy, over there)

→ Do you know _____?

수동태

UNIT 01

능동태와 수동태

능동태는 동사의 행동을 주어가 직접 하는 것을 나타내는 문장의 형태이고, 수동태는 주어에 수동적으로 어떤 동작이 가해지는 것을 의미합니다.

1. 능동태와 수동태

능동태	She fixed the car. 그녀가 자동차를 고쳤다. – 고친 사람(she)에 초점을 둠
수동태	The car **was fixed by** her. 그 자동차는 그녀에 의해 고쳐졌다. – 행위를 당한 대상(the car)에 초점을 맞춤

2. 수동태의 기본 문장구조

「주어+be동사+과거분사[p.p]+(by 목적격)」
　　　　　시제표현　　　행동표현

The toys **were designed by** Sam. 그 장난감들은 Sam에 의해 디자인되었다.

The magazine **is read by** many people. 그 잡지는 많은 사람들에 의해 읽힌다.

3. 능동태 문장을 수동태로 만들기

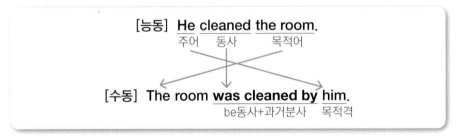

1) 능동태의 목적어를 수동태의 주어로 씁니다.

　He cleaned the room. → The room

2) 능동태의 동사를 과거분사 형태로 바꾸고, 그 앞에 주어와 시제에 맞는 be동사를 추가합니다.

　→ The room was cleaned.

　*동사의 시제가 과거이므로 be동사의 시제도 과거로 해야 합니다.

3) 능동태의 주어를 「by+목적격」 형태로 바꾸어 동사의 뒤쪽에 씁니다.

　→ The room was cleaned by him.

• 행위자가 누구인지 정확히 알 수 없거나, 일반인(불특정다수)일 때 「by+행위자」를 생략할 수 있습니다.
English **is spoken** (by people) in Canada. 영어가 캐나다에서 (사람들에 의해) 말해진다.
My car **was stolen** (by someone) last night. 내 차가 어젯밤 (누군가에 의해) 도난당했다.

Warm up

● 다음 괄호 안에서 알맞은 말을 고르세요.

01 The bike was (buy / (bought)) by Mike.

02 The window was (clean / cleaned) by us.

03 The thief was arrested by (he / him).

04 The window was (broke / broken) by Tom.

05 The girl was (hit / hitted) by a taxi.

06 He was (love / loved) by his parents.

07 The computer mouse (was / were) invented in the 1960s.

08 This car was (make / made) in Korea.

09 This house (is / was) built in 1974.

10 Hangeul was (create / created) by King Sejong.

11 *Hamlet* was written (by / with) Shakespeare.

12 The song was (sang / sung) by Beatles.

13 English is (spoken / spoke) all over the world.

14 The door was (fix / fixed) by her.

15 He (invented / was invented) a telephone.

· arrest 체포하다   · create 창조하다   · all over the world 전 세계에   · invent 발명하다

1 다음 문장을 수동태로 바꿔 쓸 때 빈칸에 알맞은 말을 쓰세요.

01 She painted the door.
→ The door was _____painted by her_____.

02 They love us.
→ _____ by them.

03 We built the bridge.
→ The bridge _____ us.

04 Sally borrowed the books.
→ The books _____ Sally.

05 You broke the vase.
→ _____ by you.

06 She invented this robot.
→ This robot was invented _____.

07 Thomas found him in the park.
→ He _____ Thomas in the park.

08 She moved the boxes.
→ The boxes were moved _____.

09 Jane helped the poor people yesterday.
→ _____ helped yesterday by Jane.

10 My mom made the cookies.
→ The cookies _____ my mom.

11 She wrote this letter.
→ This letter _____ her.

12 Mike drives the old truck.
→ The old truck _____ Mike.

• build 만들다 • bridge 다리 • borrow 빌리다 • find 발견하다 • truck 트럭

② 다음 문장을 수동태로 바꿔 쓸 때 빈칸에 알맞은 말을 쓰세요.

01 Many people use computers these days.

→ Computers are used _by many people_ these days.

02 My uncle made this chair.

→ This chair _____ my uncle.

03 Michelle cleans her room every week.

→ Her room _____ Michelle every week.

04 Mike chose the red shirt.

→ _____ by Mike.

05 She stole my bag.

→ _____ by her.

06 My sister bought this new bike.

→ _____ by my sister.

07 She and Tom changed their plan.

→ Their plan _____ her and Tom.

08 The police caught the killer.

→ The killer _____ the police.

09 The man killed the three alligators.

→ _____ by the man.

10 Cathy drew those pictures.

→ _____ by Cathy.

11 David sang that song.

→ That song _____ David.

12 He put the book on the desk.

→ _____ on the desk by him.

WORDS

· these days 오늘날   · steal 훔치다   · catch 잡다   · kill 죽이다   · alligator 악어   · draw 그리다

1 다음 문장을 수동태 문장으로 바꾸세요.

01 He made this cake.
→ _____ This cake was made by him. _____

02 She moved the desk.
→ _____

03 Those people caught the two bears.
→ _____

04 Many friends help Jina.
→ _____

05 She invited me to the party.
→ _____

06 Someone stole my bike.
→ _____

07 A lot of people love this music.
→ _____

08 He painted those doors.
→ _____

09 Susan broke the dishes.
→ _____

10 People speak French in France.
→ _____

11 Many children read the book.
→ _____

12 An earthquake hit the village in 2010.
→ _____

WORDS

· invite 초대하다 · dish 접시 · earthquake 지진 · village 마을

② 다음 우리말과 일치하도록, 주어진 단어를 이용하여 문장을 완성하세요.

01 이 책은 우리 엄마가 쓰셨다. (wrote)

→ This book _____ was written by my mother _____ .

02 그는 많은 학생들에게 사랑을 받는다. (a lot of, love)

→ He is _____ .

03 이 나무들은 그에 의해 심어졌다. (plant, him)

→ These trees _____ .

04 그 강은 그 회사에 의해 오염되었다. (pollute, the company)

→ The river _____ .

05 이 야채 수프는 Tim에 의해 요리되었다. (cook)

→ This vegetable soup _____ .

06 나의 계획은 그녀에 의해 변경되었다. (change)

→ My schedule _____ .

07 그는 지난주 버스에 치였다. (hit, a bus)

→ He _____ last week.

08 경찰에 의해 그의 차가 세워졌다. (a policeman, stop)

→ His car _____ .

09 그 편지는 Mike에 의해 보내졌다. (send)

→ The letter _____ .

10 그 목걸이는 그녀에 의해 발견되었다. (find)

→ The necklace _____ .

11 커다란 파티가 매년 그들에 의해 개최된다. (hold, them)

→ A big party _____ every year.

12 나의 집은 그 남자에 의해 지어졌다. (the man, build)

→ My house _____ .

WORDS

• plant 식물, 식물을 심다 • company 회사 • schedule 스케줄 • find 발견하다 • necklace 목걸이
• hold 개최하다 • every year 매년

UNIT 02

수동태의 여러 가지 형태 I

문장의 형식이 무엇인지, 그리고 문장이 부정문인지, 긍정문인지에 따라 수동태를 만드는 방식이 달라집니다.

1. 4형식 문장의 수동태: 4형식 문장은 간접목적어와 직접목적어로 이루어져 있어 2개의 수동태 문장으로 전환할 수 있습니다.

4형식 문장의 수동태	He gave me a gift. 그는 나에게 선물을 주었다. 　　　간·목 직·목 → **I was given** a gift by him. (간접목적어가 주어로) → **A gift was given** to me by him. (직접목적어가 주어로) He sent me a letter. 그는 나에게 편지를 보냈다. → **I was sent** a letter by him. (간접목적어가 주어로) → **A letter was sent** to me by him. (직접목적어가 주어로)

Plus 1
- 직접목적어가 주어가 될 경우 간접목적어 앞에는 to, for 등의 전치사가 옵니다.
  *to를 쓰는 동사: give, send, show, teach 등
  *for를 쓰는 동사: buy, make, get, cook 등

Plus 2
- make, buy, write 등이 쓰인 4형식 문장에서는 직접목적어만 수동태의 주어로 전환할 수 있습니다.
  He **made** me a chair.
  → **A chair** was made for me by him. (o)
  → I was made a chair by him. (x)

2. 5형식 문장의 수동태: 5형식 문장을 수동태 문장으로 만들 때 목적격보어는 「be+과거분사」 다음에 위치합니다.

5형식 문장의 수동태	I made him happy. 나는 그를 행복하게 했다. 　　　목적어 목적보어 → He **was made happy** by me. We called the dog Charlie. → The dog **was called Charlie** by us.

Plus 3
- 사역동사와, 지각동사 다음에 나오는 동사원형의 목적격보어는 수동태 문장에서 「to+동사원형」으로 바뀝니다.
  I saw him play the violin. → He **was seen to play** the violin by me.

Warm up

정답 및 해설 p.

● 다음 괄호 안에서 알맞은 말을 고르세요.

01 The picture (shown / (was shown)) to me by Jim.

02 The chair was made (to / for) him by his father.

03 She was given a necklace (to / by) Sam.

04 The lunchbox (sent / was sent) to Mike by her.

05 She is called (an angel / to an angel) by us.

06 I was made (upset / for upset) by them.

07 The wall (painted / was painted) yellow by Jessie.

08 The book was bought (for / to) Peter by his uncle.

09 The food (cooked / was cooked) for her mother by her.

10 The pizza was made (by / to) them.

11 Albert Einstein (born / was born) in Germany.

12 We were taught (English / to English) by Sam.

13 English was taught (to / for) us by Sam.

14 Some coins were given (to / for) me by Jack.

15 The dishes were sold (to / for) me by the woman.

· show 보여주다   · send 보내다   · angel 천사   · upset 화가 난   · sell 팔다

1 다음 문장을 수동태로 바꿔 쓸 때 빈칸에 알맞은 말을 쓰세요.

01 They gave me some cheese.
→ Some cheese _____ was given to me by them _____.

02 Jake sent me some flowers.
→ Some flowers _____ Jake.

03 She painted the chair white.
→ The chair _____ her.

04 My mom made me cheese cakes.
→ Cheese cakes _____ my mom.

05 She kept the vegetables fresh.
→ The vegetables were _____ her.

06 Ted gave her a ring.
→ She _____ Ted.

07 Ted gave me some money.
→ Some money _____ Ted.

08 We found the box empty.
→ The box _____ us.

09 We bought him a bike.
→ A bike _____ us.

10 Mike taught his cousin English.
→ His cousin _____ by Mike.

11 Mike taught her science.
→ Science _____ Mike.

12 He lent me his bike.
→ His bike _____ him.

WORDS

· keep 유지하다 · vegetable 야채 · fresh 신선한 · empty 빈 · cousin 사촌 · lend 빌리다, 빌려주다

❷ 다음 문장을 수동태로 바꿔 쓸 때 빈칸에 알맞은 말을 쓰세요.

01 He keeps his room clean.

→ His room _____*is kept clean by*_____ him.

02 They called the cat *Nabi*.

→ The cat _____ them.

03 He sent me an e-mail.

→ An e-mail _____ by him.

04 My father cooked me Korean food.

→ Korean food _____ my father.

05 The news made us sad.

→ We _____ the news.

06 They showed me their homework.

→ _____ to me by them.

07 They showed me their pictures.

→ _____ their pictures by them.

08 She bought me a big pie.

→ _____ for me by her.

09 John gave me some meat.

→ _____ some meat by John.

10 Jessica left the door open.

→ The door _____ Jessica.

11 Mr. Brown taught them biology.

→ _____ to them by Mr. Brown.

12 She made the food sweet.

→ The food _____ by her.

· cook 요리하다   · pie 파이   · leave 떠나다, 남기다   · biology 생물학   · sweet 달콤한

Check up & Writing

① 다음 문장을 수동태 문장으로 바꾸세요.

01 Mark made his mother happy.
➡ ___His mother was made happy by Mark.___

02 He gave me this money.
➡ _____

03 Jane showed me her purse.
➡ _____

04 He bought me an interesting book.
➡ _____

05 She sent him some books.
➡ _____

06 My mom kept the soup warm.
➡ _____

07 The refrigerator makes fruits fresh.
➡ _____

08 People found the movie boring.
➡ _____

09 We elected him president.
➡ _____

10 We called him Jim.
➡ _____

11 She lent me the doll.
➡ _____

12 He made me a big kite.
➡ _____

• **purse** 여성용 지갑　• **warm** 따뜻한　• **boring** 지루한　• **elect** 선출하다　• **president** 대통령　• **doll** 인형　• **kite** 연

❷ 다음 우리말과 일치하도록, 주어진 단어를 이용하여 수동태 문장으로 완성하세요.

01 그는 나에게 연필을 주었다. (give, him, me)

→ The pencil _____was given to me by him_____ .

02 우리는 그녀에게서 역사를 배웠다. (teach, history)

→ We _____ her.

03 엄마는 내게 피자를 만들어 주셨다. (make, my mom, me)

→ Pizza _____ .

04 Cathy가 내게 이 케이크를 사줬다. (me, buy)

→ This cake _____ by Cathy.

05 나는 나의 개를 계속 따뜻하게 해줬다. (warm, keep)

→ My dog _____ me.

06 그는 그들에게 그의 방을 보여줬다. (show, them)

→ His room _____ by him.

07 나의 아버지는 Sam에게 그 자동차를 팔았다. (sell, to, Sam)

→ The car _____ by my dad.

08 그녀는 그에게 약간의 충고를 해주었다. (some, give, advice)

→ He _____ by her.

09 그녀의 춤이 우리 모두를 행복하게 했다. (make, happy)

→ All of us _____ her dance.

10 그는 나에게 커피 한 잔을 주었다. (a cup of coffee, give)

→ I _____ him.

11 우리는 그녀의 고양이에게 'Blackie'라는 이름을 붙였다. (*Blackie*, name)

→ Her cat _____ us.

12 그는 나에게 장미꽃 스무 송이를 보냈다. (send, me)

→ Twenty roses _____ him.

· history 역사 · advice 충고 · name 이름을 짓다

UNIT 03 수동태의 여러 가지 형태 II

문장이 부정문인지 의문문인지, 조동사가 있는지에 따라 수동태의 형태가 달라집니다.

1. 부정문과 의문문의 수동태: 수동태의 부정문은 「주어+be동사+not+과거분사」의 어순으로 쓰며, 수동태의 의문문은 「be동사+주어+과거분사」의 어순으로 씁니다.

부정문 [주어+be동사+not +과거분사]	He didn't make the cake. 그는 그 케이크를 만들지 않았다. → The cake **was not [wasn't] made** by him. They didn't break the windows. 그들은 그 창문들을 깨지 않았다. → The windows **were not [weren't] broken** by them.
의문문 [be동사+주어+과거분사]	Did he make the cake? 그가 그 케이크를 만들었니? → **Was the cake made** by him? Did they break the windows? 그들은 그 창문들을 깼니? → **Were the windows broken** by them?

2. 조동사의 수동태: 조동사가 있는 문장의 수동태는 「조동사+be동사+과거분사」 어순으로 씁니다.

[조동사+be동사+과거분사]	You must clean the room. 너는 그 방을 청소해야 한다. → The room **must be cleaned** by you. Max will buy the red car. Max는 그 빨간색 자동차를 살 것이다. → The red car **will be bought** by Max.

• 조동사가 있는 문장의 수동태 부정문: 조동사+not+be+과거분사
Sam cannot finish the work. → The work **cannot [can't] be finished** by Sam.

• 진행형 수동태
진행형 수동태는 '주어+be동사+being+과거분사+by+목적격'의 어순으로 씁니다.
He is fixing the computer. → The computer is being fixed by him.

3. 수동태로 쓰이지 않는 동사: 자동사(목적어를 취하지 않는 동사)와 소유나 상태를 나타내는 동사는 수동태로 쓸 수 없습니다.

자동사 live, appear, go, come arrive, sit 등	I was lived in Seoul. (x) → I lived in Seoul. A bus was appeared around the corner. (x) → A bus **appeared** around the corner. 모퉁이를 돌아 버스 한 대가 나타났다.
타동사지만 상태나 소유를 나타내는 동사 have, resemble	A book is had by me. (x) → I **have** a book. She is resembled by her father. (x) She **resembles** her father. 그녀는 아버지를 닮았다.

Warm up

● 다음 괄호 안에서 알맞은 말을 고르세요.

01 This car (was not made / not was made) in Korea.

02 The computer (will fix / will be fixed) by Tom.

03 Was the spaghetti (cooking / cooked) by Jessie?

04 This must be (did / done) before dinner.

05 Was the window (broke / broken) by you?

06 This novel (was not written / not was written) by Samuel.

07 Were these flowers (sent / be sent) to me by Thomas?

08 This furniture (must deliver / must be delivered) by Jim.

09 The student (will punish / will be punished) by the principal.

10 A man suddenly (appeared / was appeared) from behind the tree.

11 Those pictures (were not taken / not were taken) by her.

12 Jessica (resembles / is resembled) her father.

13 The party (must prepare / must be prepared) by them.

14 They (can finish / can be finished) their homework by tomorrow.

15 Was the house (destroy / destroyed) by the hurricane?

WORDS

· suddenly 갑자기 · appear 나타나다 · behind ~뒤에 · resemble 닮다 · prepare 준비하다
· finish 마치다, 끝내다 · by ~까지 · destroy 파괴하다 · hurricane 태풍

① 다음 문장을 수동태로 바꿔 쓸 때 빈칸에 알맞은 말을 쓰세요.

01 Did he invite her to the party?
→ _____Was she invited to the party_____ by him?

02 He will use this computer.
→ This computer _____ him.

03 Did they publish the magazine?
→ _____ by them?

04 They did not cancel the game.
→ _____ by them.

05 Did a famous architect design the building?
→ _____ by a famous architect?

06 Did your daughter draw the paintings?
→ _____ by your daughter?

07 They did not appoint Jane marketing manager.
→ _____ marketing manager by them.

08 Jason can solve the problems easily.
→ _____ easily by Jason.

09 Did your father write this novel?
→ _____ by your father?

10 The fog did not delay the concert yesterday.
→ _____ yesterday by the fog.

11 They will not repair the broken car.
→ _____ by them.

12 Did England rule Hong Kong for more than 100 years?
→ _____ for more than 100 years by England?

· cancel 취소하다 · architect 건축가 · manager 관리자 · appoint 임명하다 · solve 해결하다 · fog 안개
· delay 연기하다, 지체하다 · repair 수리하다 · broken 고장 난 · rule 지배하다, 통치하다

❷ 다음 문장을 수동태로 바꿔 쓸 때 빈칸에 알맞은 말을 쓰세요.

01 Did they build the school in 1989?

→ Was _____the school built in 1989_____ by them?

02 They will deliver your order.

→ Your order _____.

03 He did not prepare the party.

→ The party _____.

04 The city will hold a summer festival.

→ A summer festival _____.

05 Did Peter clean all the windows?

→ Were _____ by Peter?

06 Sam put the lamp on the table in the morning.

→ _____ in the morning by Sam.

07 Mr. Brown doesn't run the restaurant.

→ _____ by Mr. Brown.

08 Did they choose Kevin as their leader?

→ _____ their leader by them?

09 You can borrow the books for 10 days.

→ _____ for 10 days.

10 Did the company display the new cars last month?

→ _____ last month by the company?

11 Did Sam pay the bill?

→ _____ by Sam?

12 The committee may change the rules of the game.

→ _____ by the committee.

• order 주문, 주문품, 주문하다 • hold 개최하다 • festival 축제 • leader 지도자 • run 경영하다 • display 전시하다
• pay 지불하다 • bill 계산서 • rule 규칙 • committee 위원회

1 다음 밑줄 친 부분을 바르게 고쳐 문장을 다시 쓰세요.

01 The windows <u>not were broken</u> by them.

→ _The windows were not [weren't] broken by them._

02 Was the gym <u>build by them</u> last year?

→ _____

03 Was your bike <u>steal by someone</u>?

→ _____

04 His report can be <u>do by this weekend</u>.

→ _____

05 Her name <u>was appeared</u> on the list.

→ _____

06 She <u>is resembled by</u> her father.

→ _____

07 Your homework <u>must submitted</u> once.

→ _____

08 The report <u>was finished not</u> in time.

→ _____

09 Were those cookies <u>baking by you</u>?

→ _____

10 <u>An old car is had by me.</u>

→ _____

11 The work cannot <u>be finish</u> by Sam.

→ _____

12 Mike will <u>be invite to</u> the conference.

→ _____

• submit 제출하다   • conference 회의, 학회

❷ 다음 우리말과 일치하도록, 주어진 단어를 이용하여 수동태 문장을 완성하세요.

01 이 책은 Billy에 의해 쓰여지지 않았다. (not, by, Billy, write)

→ This book _____ was not written by Billy _____.

02 비행기는 라이트 형제에 의해 발명되었니? (the airplane, invent)

→ _____ by the Wright brothers?

03 나의 친구들이 파티에 초대되어야 한다. (must, my friends, invite)

→ _____ to the party.

04 이 수프는 Susie에 의해 만들어지지 않았다. (made, was, Susie, by)

→ This soup _____.

05 그들에 의해 게임 규칙이 준수되어야 한다. (should, the game rules, obey)

→ _____ by them.

06 그에 의해 계획이 바뀌지는 않을 것이다. (change, by, not, may)

→ The plan _____ him.

07 그는 많은 사람들에게 존경을 받았니? (by, respect, a lot of people)

→ Was he _____?

08 그 나무들이 Mike에 의해 심어졌니? (the trees, plant, by)

→ _____ Mike?

09 그 신문은 일요일에는 배달되지 않을 것이다. (will, not, deliver)

→ The newspaper _____ on Sundays.

10 곧 가벼운 간식과 음료가 제공될 것이다. (will, beverages, offer, be)

→ Light snacks and _____ soon.

11 그 강도는 경찰에 의해 붙잡혔니? (the robber, catch, by the police)

→ Was _____?

12 영어가 중국에서는 말해지지 않는다. (speak, English, is)

→ _____ in China.

• **invent** 발명하다　• **obey** 복종하다　• **respect** 존경하다　• **robber** 강도　• **beverage** 음료수　• **offer** 제공하다

UNIT 04

주의해야 할 수동태

수동태 표현에 「by+행위자」가 아닌 다른 전치사가 붙는 중요한 표현들이 있습니다.

1. by 이외의 전치사를 사용하는 수동태

be known for	~로 알려지다	The town **is known for** its beautiful view.
be known to	~에게 알려지다	Sam **is known to** all students.
be known as	~로(서) 알려지다	Sam **is known as** a singer.
be made of+재료 [재료의 재질이 그대로인 경우]	~로 만들어지다	This desk **is made of** wood.
be made from+재료 [재료의 재질이 변한 경우]	~로 만들어지다	Cheese **is made from** milk.
be worried about	~에 대해 걱정하다	Sam **is worried about** his future.
be located in(at)+장소	~에 위치해 있다	The hotel **is located in** the center of the city.
be written in+언어	~로 쓰여 있다	The book **was written in** English.
be covered with	~로 덮이다	The road **is covered with** snow.
be crowded with	~로 붐비다	The park **was crowded with** children.
be filled with	~로 가득 차다	The room **is filled with** books.
be satisfied with	~에 만족하다	He **was satisfied with** my answer.
be pleased with	~에 기뻐하다	We **were pleased with** the result.
be surprised at	~에 놀라다	I **was surprised at** the news.

2. 수동태의 시제

현재진행	He is **washing** the car. 그는 세차를 하고 있다. → The car **is being washed** by him. [be동사+being+과거분사]
과거	He **bought** some meat for his mother. 그는 어머니를 위해 고기를 좀 샀다. → Some meat **was bought** for his mother by him.
미래	She **is going to plan** a trip. 그녀는 여행을 갈 계획이다. → A trip **is going to be planned** by her.
현재완료	Mike **has cleaned** the house for a long time. Mike는 오랜 시간 동안 집을 청소했다. → The room **has been cleaned** for a long time by Mike.

Warm up

● 다음 괄호 안에서 알맞은 말을 고르세요.

01 His books are written (in / at) English.

02 He has (be / been) invited to the party.

03 The store was crowded (in / with) many shoppers.

04 The man is known (to / as) a famous doctor.

05 The museum is located (in / with) the center of the city.

06 This report was completed (in / by) Jack.

07 Busan is known (to / for) its beautiful beaches.

08 My friends are satisfied (with / to) my food.

09 The roof is covered (with / as) snow.

10 My father is worried (to / about) my health.

11 Are you interested (in / at) the reading club?

12 These tables are made (of / from) wood.

13 Sam is known (to / as) every student in my town.

14 A trip is going to (be / been) planned by her.

15 He was pleased (with / at) the test result.

· crowded 붐비는   · locate 위치하다   · center 중심   · worry 걱정하다   · pleased 기쁜

1 다음 빈칸에 알맞은 전치사를 쓰세요.

01 Wine is made ____from____ grapes.

02 She was surprised _____ his test score.

03 She is interested _____ Korean culture.

04 The street was covered _____ fallen leaves.

05 People are not worried _____ air pollution.

06 The train was crowded _____ tourists.

07 These cookies are made _____ cheese and flour.

08 The town is known _____ its beautiful mountains.

09 He is pleased _____ your success.

10 This coin is made _____ gold.

11 She is satisfied _____ her current life.

12 The tank was filled _____ dirty water.

13 The country is located _____ the southern part of Europe.

14 The old book is written _____ Chinese.

15 The singer is known _____ many foreigners.

· grape 포도   · pollution 오염   · flour 밀가루   · current 현재의   · dirty 더러운   · southern 남쪽의   · part 부분
· foreigner 외국인

❷ 다음 밑줄 친 부문을 바르게 고쳐 쓰세요.

01 She is known <u>to</u> a doctor.   as

02 His body is covered <u>to</u> dust.

03 The bus stop is crowded <u>at</u> a lot of passengers.

04 The table was covered <u>in</u> large cloth.

05 My mother was pleased <u>in</u> my grades.

06 My father is satisfied <u>to</u> his new car.

07 The bathtub is filled <u>for</u> warm water.

08 He was interested <u>by</u> taking pictures.

09 The actor is known <u>as</u> everyone in the world.

10 Some messages are written <u>at</u> Japanese.

11 We were surprised <u>in</u> his failure.

12 The jacket is made <u>to</u> silk.

13 The hotel is known <u>to</u> its excellent service.

14 They were worried <u>for</u> the presentation.

15 His car has <u>be</u> parked on the sidewalk.

• bathtub 욕조 • message 메시지 • failure 실패 • silk 비단 • presentation 발표 • sidewalk 인도

1 다음 우리말과 일치하도록, 주어진 단어를 이용하여 문장을 완성하세요. (중복 가능)

보기

covered   filled   interested   known   crowded
made   pleased   satisfied   surprised   worried   located

01 The bridge _____was made of_____ steel.
그 다리는 강철로 만들어졌다.

02 My mother _____ gardening.
우리 엄마는 원예에 관심이 있으시다.

03 My friends _____ the final exam.
나의 친구들은 기말고사에 대해 걱정했다.

04 All the guests _____ our service.
모든 손님들이 우리 서비스에 만족했다.

05 The room _____ toys.
그 방은 장난감으로 가득 차 있었다.

06 The garden _____ beautiful roses.
그 정원은 아름다운 장미들로 덮여 있다.

07 The department store _____ customers.
그 백화점은 손님들로 붐볐다.

08 They _____ our presents.
그들은 우리의 선물에 기뻐했다.

09 The shocking news _____ all of them.
그 충격적인 소식은 그들 모두에게 알려졌다.

10 His office _____ Manhattan, New York.
그의 사무실은 뉴욕의 맨해튼에 자리하고 있다.

11 The country _____ its pyramids.
그 나라는 피라미드들로 유명하다.

12 We _____ his unexpected behavior.
우리는 그의 느닷없는 행동에 놀랐다.

WORDS

· steel 강철   · gardening 원예   · final exam 기말고사   · customer 관객   · present 선물   · locate 위치하다
· unexpected 예기치 않은   · behavior 행동

❷ 다음 우리말과 일치하도록, 주어진 단어를 이용하여 문장을 완성하세요.

01 이 집은 벽돌로 만들어졌다. (made, bricks)
→ This house _____ was made of bricks _____.

02 우리는 그의 갑작스러운 죽음에 놀랐다. (surprised)
→ We _____ his sudden death.

03 그 호텔은 영국 런던에 위치해 있다. (located, London)
→ The hotel _____, England.

04 그 역은 항상 사람들로 붐빈다. (always, crowded, people)
→ The station _____.

05 나의 부모님은 나의 안전에 대해 걱정하신다. (worried, safety, my)
→ My parents _____.

06 그의 딸은 유명한 작가로 알려져 있다. (known, a famous writer)
→ His daughter _____.

07 그 책장은 지난해 많은 만화책들로 가득 차 있었다. (filled, a lot of, comic books)
→ The bookshelf _____ last year.

08 그 케이크는 초콜릿으로 덮여 있다. (covered, chocolate)
→ The cake _____.

09 우리는 당신의 특별 전시에 관심이 있다. (interested, special exhibition, your)
→ We _____.

10 그의 소설은 영어로 쓰여질 것이다. (be going to, write)
→ His novel _____ English.

11 그녀는 새 드레스에 만족했다. (satisfied, the new dress)
→ She _____.

12 그 식당은 해산물로 유명하다. (known, its, seafood)
→ The restaurant _____.

• **brick** 벽돌   • **sudden** 갑작스러운   • **death** 죽음   • **special** 특별한   • **exhibition** 전시회   • **seafood** 해산물

Level up

1 다음 문장을 수동태로 쓰세요.

01 She found her glasses.
→ _____ Her glasses were found by her. _____

02 Ted did not ride the white horse.
→ _____

03 The man will tell a new story tomorrow.
→ _____

04 You must finish the work right now.
→ _____

05 The gift satisfied her.
→ _____

06 The movie made him happy.
→ _____

07 We called him Jake.
→ _____

08 My mom is making a cheese cake.
→ _____

09 Millions of people can watch the Olympic games.
→ _____

10 David cannot fix your watch.
→ _____

11 Did you cut this tree?
→ _____

12 Jackson didn't lock the door last night.
→ _____

 WORDS
• find 발견하다   • right now 지금   • lock 잠그다

② 다음 문장을 수동태로 쓰세요.

01 Mike saved a lot of money for the trip.
→ _____ A lot of money was saved for the trip by Mike. _____

02 His father bought him a present.
→ _____

03 I will take her to the hospital.
→ _____

04 Cathy taught them English.
→ _____

05 Peter didn't solve the problem.
→ _____

06 Did you use that computer yesterday?
→ _____

07 They will discuss this topic at the next meeting.
→ _____

08 Did he buy the computer?
→ _____

09 Susie has paid the bill.
→ _____

10 They have collected a lot of money for the victims.
→ _____

11 The scientist predicted the volcanic eruption.
→ _____

12 We will train the dogs.
→ _____

WORDS

· trip 여행   · present 선물   · discuss 토론하다   · predict 예언하다, 예측하다   · volcanic 화산의
· eruption (화산의) 폭발, 분화   · train 훈련시키다   · collect 모으다   · victim 희생자

3 주어진 동사를 이용하여 문장을 완성하세요.

01 These shoes _____were bought_____ last week. (buy)
이 신발들은 지난주에 구매되었다.

02 The thief _____ yesterday. (catch)
그 도둑이 어제 잡혔다.

03 The cookies _____ him this morning. (bring)
이 쿠키들은 오늘 아침 그가 가지고 왔다.

04 My wallet _____ last night. (steal)
어젯밤 내 지갑을 도둑맞았다.

05 This farm _____ my uncle. (will, run)
이 농장을 나의 삼촌에 의해 운영될 것이다.

06 The dirty plates are _____ by Kevin. (wash)
더러운 접시들이 Kevin에 의해서 씻어지고 있다.

07 He _____ English at a middle school last year. (teach)
그는 지난해 중학교에서 영어를 가르쳤다.

08 His new album _____ next month. (be going to, release)
다음 달 그의 새 앨범이 나올 것이다.

09 He _____ a good job by them. (offer)
그는 그들에게 좋은 직장을 제안 받았다.

10 Everything except some buildings _____ by the eruption. (bury)
몇 건물을 제외한 모든 것이 화산폭발로 매장되었다.

11 The house has _____ by Mom. (clean)
그 집은 엄마에 의해 청소되어 졌다.

12 _____ she _____ by a policeman? (stop)
경찰이 그녀를 세웠니?

13 Mr. Smith _____ in the crowd. (disappeared)
Smith 씨는 군중 속으로 사라졌다.

14 Most of them are _____ their jobs. (satisfy)
그들 대부분은 자신의 일에 만족해한다.

15 He _____ math by his mother last year. (teach)
그는 지난해 어머니에게 수학을 배웠다.

WORDS

· steal 훔치다   · wallet 지갑   · release 공개[발표]하다   · disappear 사라지다   · crowd 군중   · offer 제안하다
· bury 묻다   · eruption (화산의) 폭발, 분화

4 다음 수동태 문장을 능동태로, 능동태 문장은 수동태 문장으로 바꾸세요.

01 She was given some money by Daniel.
→ _____ Daniel gave her some money. _____

02 The report will be submitted today by me.
→ _____

03 Jessica was not invited to the party by them.
→ _____

04 His bag was hidden by us.
→ _____

05 Some money was put on the table by her.
→ _____

06 The machine was invented by a young boy.
→ _____

07 English will be taught to them by me.
→ _____

08 You must repair the vending machine
→ _____

09 A cake was made for me by my mom.
→ _____

10 A surprise party for David will be prepared by Sara.
→ _____

11 The room is always kept clean by Tom.
→ _____

12 Is a pet dog kept by him?
→ _____

WOR D S
• submit 제출하다 • hide 감추다 • repair 수리하다 • vending machine 자판기 • surprise party 깜짝 파티
• keep 기르다, 유지하다 • clean 깨끗한 • pet 애완동물

Actual Test

[1-4] 다음 중 빈칸에 알맞은 것을 고르세요.

1

> The chairs _____ yesterday by his uncle.

① is fixed   ② was fixed
③ were fixed   ④ are fixed
⑤ are fixing

2

> My school building _____ in 1983.

① is built   ② was built
③ built   ④ build
⑤ were built

3

> The living room is crowded _____ guests.

① with   ② at
③ for   ④ to
⑤ in

4

> My friends _____ my birthday party this Sunday.

① will invite   ② will invite to
③ will be invited   ④ will be invited to
⑤ will be invited at

1
fix 고치다

4
invite 초대하다

5 다음 중 두 문장의 의미가 같도록 빈칸에 알맞은 말을 고르세요.

> They call the cat *Black*.
> → The cat _____ *Black* by them.

① is call   ② is being called
③ is called   ④ has been called
⑤ called

Note

5
수동태의 시제가 현재가
되어야 합니다.

6 다음 중 빈칸에 알맞은 말이 바르게 짝지어진 것을 고르세요.

> • She was surprised _____ the news.
> • The roof was covered _____ snow.
> • Jessica is interested _____ cooking.

① at - with - in   ② by - with - in
③ at - by - in   ④ by - by - in
⑤ at - with - by

7 다음 중 밑줄 친 부분을 생략해도 되는 것을 고르세요.

① The novel was written <u>by Jane Austin</u>.
② A lot of money was stolen <u>by someone</u>.
③ The chicken soup was made <u>by me</u>.
④ The wall was painted green <u>by his sister</u>.
⑤ This machine was invented <u>by him</u>.

7
행위자가 누구인지 정확히
알 수 없거나, 일반인(불
특정다수)일 때 by 이하를
생략할 수 있습니다.

8 다음 중 문장 전환이 <u>잘못된</u> 것을 고르세요.

① My uncle gave me this bike.
　→ I was given this bike by my uncle.
② People speak French in France.
　→ French is spoken in France.
③ An old woman wrote the book.
　→ The book is written by an old woman.
④ We all know him.
　→ He is known to us all.
⑤ They took him to the hospital.
　→ He was taken to the hospital by them.

8
French 프랑스어
take 데리고 가다

[9-10] 다음 중 어법상 <u>어색한</u> 문장을 고르세요. 기출

9 ① Many buildings were destroyed in a few seconds.
② 1000 people's lives were saved.
③ People were killed animals to make clothes.
④ The plan was changed by them.
⑤ He is loved by all Koreans.

9
in a few seconds
몇 초 만에
destroy 파괴하다
save 구하다
clothes 의류
clean 청소하다

10 ① The dog is called *Spot*.
② This plant should be watered daily.
③ The book is read by a lot of people.
④ A new building is going to be built here.
⑤ The room was filled of fresh air.

[11-12] 다음을 수동태로 바르게 옮긴 것을 고르세요.

11
> Did she park the car?

① Is she parked the car?
② Was the car parked by her?
③ Was the car parking?
④ Does the car parked?
⑤ Did the park her car?

12
> Peter made me happy.

① I am made happy by Peter.
② I am make happy by Peter.
③ I was made happy by Peter.
④ I was maden happy by Peter.
⑤ I was maken happy by Peter.

[13-14] 다음 중 우리말을 영어로 바르게 쓴 것을 고르세요.

13 그 공원은 서울 서쪽에 위치해 있다.

① The park locates in the west of Seoul.
② The park is locates in the west of Seoul.
③ The park is located in the west of Seoul.
④ The park located in the west of Seoul.
⑤ The park is being located in the west of Seoul.

13
locate 위치하다

14 그 방은 그녀에 의해 청소될 것이다.

① The room is going to clean by her.
② The room is going to cleaning by her.
③ The room is going to cleaned by her.
④ The room is going to be clean by her.
⑤ The room is going to be cleaned by her.

14
be going to+동사원형
~할 것이다

15 다음 중 빈칸에 들어갈 말이 나머지와 <u>다른</u> 것을 고르세요.

① Jack is pleased _____ his grades.
② My father is satisfied _____ my present.
③ The shopping mall is crowded _____ people.
④ My aunt is worried _____ the party.
⑤ His books are covered _____ dirt.

15
grade 점수, 성적, 등급
present 선물

16 다음 빈칸에 공통으로 들어갈 말을 쓰세요.

• Some books are written _____ Korean.
• These computers are made _____ China.

➜ _____

16
Korean 한국어, 한국인

Note

17 다음 문장을 수동태로 바꾸어 쓰세요.

> 1) Children should eat a lot of fruits and vegetables.
>
> ➜ _____

> 2) I will pay the money.
>
> ➜ _____

17
should ~해야 한다
pay 지불하다

18 주어진 단어를 바르게 쓰세요.

> The package ___(send)___ last week, and it ___(arrive)___ yesterday.
>
> ➜ _____

18
수동태로 쓸 수 없는 동사를 알아보세요.
package 소포

19 다음 빈칸에 알맞은 말을 쓰세요.

> • The picture was shown _____ me by Jim.
> • The pizza was made _____ him by his mom.
>
> ➜ _____

20 다음 밑줄 친 부분을 바르게 고쳐 문장을 쓰세요.

> The present <u>was given me</u> by my friend.
>
> ➜ _____

Chapter

5

전치사

UNIT 01

시간 전치사

시간 전치사란 명사 앞에 위치하여 구체적인 시간 등을 나타내는 전치사입니다. 시간, 요일, 연도 등에 따라 다른 전치사를 사용합니다.

1. 시간 전치사 at, on, in

at	구체적인 시간 앞에	They arrived here **at** five thirty. 그들은 5시 30분에 여기에 도착했다. He will meet you **at** two o'clock. 그는 2시 정각에 너를 만날 것이다.
on	요일 / 날짜	I study English **on** Friday. 나는 금요일에 영어를 공부한다. She was born **on** July third, 2001. 그녀는 2001년 7월 3일에 태어났다.
in	달 / 년도 / 계절	He lived in Seoul **in** 2012. 그는 2012년에 서울에 살았다. I go to the beach **in** summer. 나는 여름에 해변에 간다.

2. 명사나 명사구 앞에 오는 시간 전치사 at, on, in

at	하루 중 특정한 때	**at** night(저녁에) / **at** noon(정오에) / **at** breakfast(아침식사 때) **at** dinner(저녁 식사 때) / **at** lunch(time)(점심에) / **at** Christmas(성탄절에)
on	특별한 하루의 아침, 점심, 저녁이나 특별한 날	**on** Sunday morning(일요일 아침에) / **on** Christmas evening(크리스마스 저녁에) / **on** my birthday(내 생일에)
in	아침, 오후, 저녁 현재, 과거, 미래	**in** the morning / **in** the evening / **in** the afternoon / **in** the future(미래에) / **in** the past(과거에) / **in** the present(현재에)

 Plus
- on+복수시간명사 = every+단수시간명사: ~ 마다
  on Sundays = every Sunday 일요일마다   I play soccer **on Sundays**. 나는 일요일마다 축구를 한다.

3. 시간 전치사

before	~전에	I wash my hands **before** meals. 나는 식사 전에 손을 씻는다.
after	~후에	I drink milk **after** meals. 나는 식사 후에 우유를 마신다.
for	~동안 (시간 단위 명사 앞에)	Jack studied math **for** two hours. Jack 2시간 동안 수학을 공부했다.
during	~동안 (일반적인 명사 앞에)	Jack studied English **during** winter vacation. Jack은 겨울방학 동안 영어를 공부했다.
until	~까지 (동작이나 상태가 한 시점까지 계속 나타낼 때)	I will wait for you **until** tomorrow. 나는 내일까지 너를 계속 기다릴 것이다.(말하는 시점부터 내일까지 계속해서 기다림.)
by	~까지 (동작이나 상태가 한 번에 완료)	I will finish my homework **by** tomorrow. 나는 내일까지 숙제를 끝낼 것이다. (지금 숙제를 할지 내일 할지 모르지만 내일까지 숙제를 완료함.)

Warm up

정답 및 해설 p.

● 다음 괄호 안에서 알맞은 말을 고르세요.

01 I sometimes study (at / in) night.

02 What did you do (for / during) the summer vacation?

03 They played baseball (for / during) two hours.

04 I will stay there (for / during) two weeks.

05 We play basketball (at / on) Sundays.

06 Jake will go on a vacation (in / on) March.

07 His uncle does exercise (in / on) the morning.

08 She will be home (in / at) three o'clock.

09 They have lunch (in / at) noon.

10 You have to arrive at the airport (in / at) six o'clock.

11 She will wait for you (until / for) five o'clock.

12 I brush my teeth (after / until) meals.

13 I will finish this writing (by / for) tomorrow.

14 He became a teacher (in / on) 2012.

15 I practice the violin (in / on) the afternoon.

• sometimes 때때로   • exercise 운동하다   • arrive 도착하다   • meal 식사   • practice 연습하다

① 다음 보기에서 알맞은 전치사를 골라 빈칸에 쓰세요.

> **보기**
>
> before　　after　　for　　during　　until　　in　　at　　on

01 The concert will begin _____at_____ 7 o'clock.
음악회는 7시에 시작할 것이다.

02 Please hand in your essay _____ May 15.
5월 15일 전까지 에세이를 제출하세요.

03 He is going to visit his parents _____ Christmas.
그는 크리스마스 때 부모님을 방문할 것이다.

04 I had a lot of fun _____ the vacation.
나는 휴가 동안 많이 재미있었다.

05 He will live here with his parents _____ two years.
그는 부모님과 여기에서 2년 동안 살 것이다.

06 A new school year begins _____ March.
새 학기는 3월에 시작한다.

07 I go to bed _____ ten every day.
나는 매일 10시에 잔다.

08 My father goes fishing _____ Saturdays.
아버지는 매주 토요일 낚시를 하러 가신다.

09 Let's have dinner together _____ Friday evening.
금요일 저녁에 함께 밥 먹자.

10 What did you buy for your parents _____ Parents' Day?
어버이날 부모님을 위해 무슨 선물을 샀니?

11 What do you usually do _____ school?
방과 후에 너는 보통 무엇을 하니?

12 I will love you _____ the end of my life.
나는 내 인생 끝까지 너를 사랑할 것이다.

• hand in 제출하다　　• essay 에세이　　• go fishing 낚시하러 가다

❷ 다음 보기에서 알맞은 전치사를 골라 빈칸에 쓰세요.

> **보기**
>
> for   during   by   until   in   at   on

01 I go swimming _____on_____ Monday.
나는 월요일에 수영을 한다.

02 He arrived in New York _____ 8 o'clock.
그는 뉴욕에 8시에 도착했다.

03 There weren't any buildings here _____ the past.
과거에 이곳에는 건물이 없었다.

04 Air pollution will be a big problem _____ the future.
미래에 공기오염은 큰 문제가 될 것이다.

05 She moved to Seoul _____ 2011.
그녀는 2011년에 서울로 이사했다.

06 The project will be completed _____ the end of the year.
그 프로젝트는 올해 말까지 완성될 것이다.

07 It snows a lot _____ December.
12월에 눈이 많이 온다.

08 She bought me a bike _____ my birthday.
그녀는 내 생일날 나에게 자전거를 사줬다.

09 He has been studying English _____ five years.
그는 5년 동안 영어 공부를 하고 있다.

10 He continued playing computer games _____ midnight.
그는 한밤중까지 컴퓨터 게임을 계속했다.

11 She took a rest _____ about 20 minutes.
그녀는 약 20분 동안 휴식을 했다.

12 He met his uncle _____ his visit to Busan.
그는 부산 방문 동안 삼촌을 만났다.

WORDS
· in the past 과거에   · pollution 오염   · midnight 한밤중   · complete 완성하다   · continue 계속하다

1 다음 밑줄 친 부분의 쓰임이 바르면 O표 하고, 틀리면 바르게 고쳐 쓰세요.

01 What do you want to be <u>in</u> the future?　　　　　　　　　　O

02 We will stay at the hotel <u>during</u> five days.

03 It will keep snowing <u>until</u> tomorrow.

04 I take a shower <u>after</u> dinner.

05 The train will arrive <u>in</u> three o'clock.

06 She and I lived in Seoul <u>on</u> 2014.

07 I listened to the radio <u>for</u> thirty minutes this morning.

08 He was also a rich man <u>in</u> the past.

09 She studied math very hard <u>for</u> the vacation.

10 The concert will be held <u>at</u> May 7th.

11 There are so many fun things to do <u>at</u> summer.

12 My dad often feels tired <u>at</u> night.

13 Our summer vacation begins <u>on</u> July.

14 What are you going to do <u>on</u> Valentine's Day?

15 He will finish the report <u>in</u> next Monday.

· future 미래　· stay 머무르다　· vacation 방학　· report 보고서

② 다음 우리말과 일치하도록, 주어진 단어를 이용하여 문장을 완성하세요.

01 그들은 3주 동안 노래 연습을 했다. (singing, three weeks)

→ They practiced _____ singing for three weeks _____ .

02 그 버스는 정오에 출발할 것이다. (will, noon, start)

→ The bus _____ .

03 과거에는 오직 남성만 교육을 받았다. (an, education, the past)

→ Only men received _____ .

04 너는 이번 주말까지 그 집 칠하는 것을 마쳐야 한다. (the house, this weekend, painting)

→ You have to finish _____ .

05 Jason은 방학 동안 삼촌 댁에 머물 것이다. (his, the vacation, uncle's)

→ Jason will stay at _____ .

06 그는 자정까지 계속해서 기타를 칠 것이다. (the guitar, midnight)

→ He will continue playing _____ .

07 나는 3시간 동안 그에게 영어를 가르치고 있다. (English, three hours)

→ I have been teaching him _____ .

08 나는 보통 아침식사를 한 후 샤워를 한다. (take, breakfast, a shower)

→ I usually _____ .

09 David는 그 고등학교를 2015년에 졸업했다. (the, high school, 2015)

→ David graduated from _____ .

10 너는 일요일 아침에 주로 뭐하니? (Sunday, mornings)

→ What do you usually do _____ ?

11 그녀는 오후에는 한가할 것이다. (the afternoon, free)

→ She'll be _____ .

12 10월 11일에 말하기 대회가 있을 것이다. (October 11)

→ There will be a speech contest _____ .

· receive 받다 · education 교육 · graduate 졸업하다 · free 한가한 · contest 대회

UNIT 02

장소, 위치의 전치사

장소, 위치 전치사란 명사 앞에 위치하여 구체적인 장소나 위치를 나타내는 전치사입니다.

1. 장소 전치사 at, on, in

at	~ 에 (위치, 지점, 장소)	**at** the door, **at** the corner, **at** the party **at** the concert, **at** the bus stop, **at** the airport **at** home, **at** work, **at** (a) school 등
in	~ 안에 (장소의 내부), (도시나 나라이름), (범위가 큰 장소), (방향)	**in** the room, **in** London, **in** Korea, **in** the world **in** the sky, **in** the east, **in** the west 등
on	~ 위에(표변에 닿은 상태), (방향)	**on** the table, **on** the chair, **on** the wall, **on** the map **on** the floor, **on** the right, **on** the left 등

2. 기타 장소의 전치사

under	~ 아래에	There is a cat **under** the table. 테이블 아래에 고양이가 있다.
over	~ 위에, 너머에	A bird is flying **over** the tree. 새가 나무 위로 날아가고 있다.
beside [= next to/by]	~ 옆에	The flower shop is **beside[next to]** the bakery. 그 꽃가게는 빵집 옆에 있다.
in front of	~ 앞에	Tom is standing **in front of** the door. Tom이 문 앞에 서 있다.
behind	~ 뒤에	The parking lot is **behind** the building. 주차장은 건물 뒤에 있다.
near	~ 가까이에	Is there a bookstore **near** the park? 공원 근처에 서점이 있니?

Plus

• on, over, above
  on - 표면 위에   over - 표면 위에서 조금 위   above - over 보다 더 위

3. 위치 전치사 between, among

between [A and B]	A와 B사이에 둘 사이에	My house is **between** the school **and** the park. 나의 집은 학교와 공원 사이에 있다. There is a river **between** the two countries. 두 나라 사이에 강이 있다.
among	[셋 이상] ~ 사이에	They are very popular **among** Korean people. 그들은 한국인들 사이에서 매우 인기가 있다.

Warm up

정답 및 해설 p.

● 다음 괄호 안에서 알맞은 말을 고르세요.

01 The small boat is ((under) / over) the bridge.
작은 보트가 다리 아래에 있다.

02 I want to live (in / at) Canada.
나는 캐나다에서 살고 싶다.

03 Who is (in / on) the classroom?
교실에 누가 있니?

04 He put his watch (on / at) the table.
그는 시계를 테이블 위에 올려놓았다.

05 He is waiting for his mom (at / in) the bus stop.
그는 버스정류장에서 엄마를 기다리고 있다.

06 Is there a picture (on / in) the wall?
벽에 사진이 있니?

07 The subway station is (near / next to) my house.
그 지하철역은 나의 집 근처에 있다.

08 A pretty girl is standing (behind / next) me.
예쁜 소녀가 내 뒤에 서 있다.

09 A music festival will be held (at / in) Paris next week.
다음 주에 음악축제가 파리에서 열릴 것이다.

10 Jeju island is (in / at) the south of Korea.
제주도는 한국의 남쪽에 있다.

11 There is a lot of trade (between / among) China and Korea.
중국과 한국 사이에 많은 무역 교역이 있다.

12 There is a tree (in front of / behind) my house.
나의 집 앞에 나무가 있다.

13 There are many stars (on / in) the sky.
하늘에 많은 별들이 있다.

14 Did you have a good time (at / in) the party?
파티에서 좋은 시간을 보냈니?

15 A lamp is hanging (over / behind) the table.
그 탁자 위에 등이 매달려 있다.

WORDS

· bridge 다리   · subway 지하철   · festival 축제   · trade 거래, 무역   · hang 매달리다

❶ 다음 빈칸에 알맞은 전치사를 쓰세요.

01 Sara is sitting _____on_____ the bench.
Sara가 벤치 위에 앉아 있다.

02 Please, push the button _____ the left.
왼쪽에 있는 버튼을 누르세요.

03 We traced the route _____ the map.
우리는 지도 위에 나 있는 그 길을 따라갔다.

04 I love to watch sports on TV _____ home.
나는 집에서 TV로 스포츠 보는 것을 좋아한다.

05 It is the largest bird _____ the world.
그것은 세상에서 제일 큰 새이다.

06 He has been living _____ Japan for five years.
그는 5년 동안 일본에 살고 있다.

07 She and I stopped to rest _____ a tree.
그녀와 나는 휴식하기 위해 나무 아래에서 멈췄다.

08 Who is standing _____ the door?
누가 문에 서 있니?

09 How many people are there _____ the room?
방 안에 몇 명의 사람이 있니?

10 I found my friend at once _____ the crowd.
나는 군중 사이에서 나의 친구를 바로 발견했다.

11 The train is arriving _____ the station.
기차가 역에 도착하고 있다.

12 I don't want to sit _____ him.
나는 그의 옆에 앉고 싶지 않다.

WORDS

• trace 추적하다, 따라가다 • map 지도 • route 길 • at once 즉시 • rest 휴식하다 • beside ~옆에

❷ 다음 빈칸에 알맞은 전치사를 쓰세요.

01 They can dive up to 20 meters ___under___ the sea.
그들은 바다 20m 아래까지 잠수할 수 있다.

02 Jake tossed newspapers _____ the fence.
Jake는 울타리 너머로 신문을 던졌다.

03 There's a room _____ this wall.
이 벽 뒤에 방이 하나 있다.

04 There is enough space _____ the two cars.
두 자동차 사이에 공간이 넓다.

05 My sister spilled the milk _____ the floor.
여동생이 우유를 바닥에 쏟았다.

06 What's _____ the box?
상자 안에 무엇이 있니?

07 There is a beautiful beach _____ my house.
내 집 근처에 아름다운 해변이 있다.

08 There is a hotel _____ the flower shop.
꽃 가게 앞에 호텔이 있다.

09 There is some water _____ the tank.
탱크 안에 물이 좀 있다.

10 Many children are sitting _____ the grass.
많은 아이들이 잔디 위에 앉아 있다.

11 A butterfly is flying _____ my head.
한 마리 나비가 내 머리 위로 날아가고 있다.

12 I met Susan _____ the party last week.
나는 지난주 파티에서 Susan을 만났다.

WORDS
· dive 잠수하다   · up to ~까지   · space 공간   · enough 충분한   · toss 던지다   · spill 쏟다   · grass 잔디
· butterfly 나비

1 다음 밑줄 친 부분을 바르게 고쳐 쓰세요.

01 What does he teach <u>on</u> a high school?
그는 고등학교에서 무엇을 가르치니?

at

02 There is a cat <u>beside</u> the desk.
책상 뒤에 고양이가 있다.

03 There is a pillow <u>at</u> the bed.
침대 위에 베개가 있다.

04 The submarine can stay <u>over</u> water for a long time.
그 잠수함은 오랫동안 잠수할 수 있다.

05 Who is the woman <u>to</u> Jessica?
Jessica 옆의 여자는 누구니?

06 The woman <u>at</u> the right is wearing glasses.
오른쪽에 있는 여성은 안경을 쓰고 있다.

07 My daddy works <u>on</u> a toy factory.
아버지는 장난감 공장에서 일하신다.

08 Mike is <u>on</u> his room now.
Mike는 지금 그의 방에 있다.

09 There was a fight <u>among</u> Joe and Mike.
Joe와 Mike 사이에 싸움이 있었다.

10 She is the oldest <u>between</u> the five girls.
그녀는 5명의 소녀 중 나이가 제일 많다.

11 There is a small village <u>in</u> the mountain.
그 산 너머에 작은 마을이 있다.

12 He has a few coins <u>on</u> his pocket.
그는 주머니에 동전이 몇 개 있다.

WORDS

• submarine 잠수함　• pillow 베개　• toy 장난감　• factory 공장　• fight 싸움　• village 마을　• pocket 주머니

❷ 다음 우리말과 일치하도록, 주어진 단어를 이용하여 문장을 완성하세요.

01 내 사무실은 빵집과 우체국 사이에 있다. (and, the bakery, the post office)
→ My office is ___between the bakery and the post office___ .

02 그녀는 지금 소파에 누워 있다. (lie, the sofa, now)
→ She is _____ .

03 그의 집 옆에 차고가 있다. (a garage, his house)
→ There is _____ .

04 요즘 그 배우가 중국 사람들에게 매우 인기가 있다. (popular, very, Chinese people)
→ These days the actor is _____ .

05 두 도시 사이에 커다란 호수가 있다. (a big, two cities, lake)
→ There is _____ .

06 자동차 안에 4명의 사람들이 있다. (people, the car, four)
→ There are _____ .

07 Peter 뒤에 있는 소년은 누구니? (Peter, the boy)
→ Who is _____ ?

08 다섯 명의 젊은 사람들이 무대 위에서 춤을 추고 있다. (dance, the stage)
→ Five young people _____ .

09 Sam이 은행 앞에 서 있었다. (stand, the bank)
→ Sam was _____ .

10 한국음식이 외국인들 사이에서 점점 인기를 얻고 있다. (more, foreigners, popular)
→ Korean food is getting _____ .

11 그는 공항에서 버스를 기다리고 있다. (a bus, wait for, the airport)
→ He is _____ .

12 남자가 나무 그늘 아래에서 쉬고 있다. (rest, the shadow of a tree)
→ A man is _____ .

• garage 차고　• popular 인기 있는　• lying lie (눕다)의 현재진행형　• foreigner 외국인　• airport 공항

UNIT 03 방향 전치사

> 방향 전치사란 명사 앞에 위치하여 구체적인 방향을 나타내는 역할을 합니다.

1. up, down

up	~ 위로	The boy climbed **up** the ladder. 그 소년은 사다리 위로 올라갔다.
down	~ 아래로	This bus goes **down** the hill. 이 버스는 언덕 아래로 간다.

2. into, out of

into	~ 안으로	He came **into** the office. 그는 사무실 안으로 들어갔다.
out of	~ 밖으로	They came **out of** the building. 그들은 그 건물 밖으로 나왔다.

3. across, along, around, through

across	~을 가로질러 ~건너편에	Can you swim **across** the river? 너는 강을 가로질러 수영할 수 있니? His office is **across** the street. 그의 사무실은 바로 건너편에 있다.
along	~을 따라	I like walking **along** the shore. 나는 해변을 따라 걷는 것을 좋아한다.
around	~ 주변에	There are no chairs **around** the table. 탁자 주위에는 의자들이 없다.
through	~을 통과하여	The burglar got in **through** the window. 그 도둑은 창문을 통해 들어갔다.

4. from, to

from	~로 부터	Please start again **from** the beginning. 처음부터 다시 시작하세요.
to+도착지	~ 까지 / ~로 / ~에게	They will return **to** Korea. 그들은 한국으로 돌아갈 것이다.

5. 기타 전치사

for	+ 사람: ~을 위해 + 목적지: ~을 향해	This present is **for** you. 이 선물은 너를 위한 것이다. She left **for** Paris. 그녀는 파리를 향해 떠났다.
by	+ 교통[통신]수단: ~로	He went to the museum **by** bus. 그는 버스로 그 박물관에 갔다.
with	+ 사람: ~와 (함께) + 사물: ~을 가지고, ~로	I want to talk **with** you. 나는 너와 얘기하고 싶다. Cut the paper **with** the scissors. 그 종이를 가위로 자르세요.
to	+ 사람: ~에게 + 목적지: ~까지, ~에	He gave this toy **to** you. 그가 너에게 이 장난감을 줬다. I'm going **to** the beach now. 나는 지금 해변에 가는 중이다.
about	~에 관하여, 대략	I have a question **about** it. 나는 그것에 대한 질문이 있다. *cf.* I have **about** 20 dollars. (부사: 대략) 나는 대략 20달러가 있다.
like	~처럼 / ~와 같이	He never smiles **like** you. 그는 결코 너처럼 웃지 않는다. She is **like** many other teenagers. 그녀는 많은 다른 10대들과 같다.
without	~ 없이	People can't live **without** air. 사람은 공기 없이 살 수 없다.

Warm up

● 다음 괄호 안에서 알맞은 말을 고르세요.

01 He went to the museum ((by) / in) subway.
그는 지하철로 그 박물관에 갔다.

02 Mr. Han left (for / from) London last night.
Han 씨는 어젯밤 런던을 향해 떠났다.

03 The students gathered (through / around) the campfire.
그 학생들은 캠프파이어 주변에 모였다.

04 He went (to / with) the city by train.
그는 기차로 그 도시에 갔다.

05 Will you go there (with / without) me?
너 나와 함께 거기에 갈래?

06 Do you know any information (about / to) him?
너는 그에 대한 정보를 아니?

07 Amy picked up the coin (from / to) the floor.
Amy가 마루에서부터 동전을 집었다.

08 They ran (into / out of) the classroom.
그들은 교실 안으로 달려갔다.

09 He walked (across / up) the field at night.
우리는 밤에 들판을 가로질러 걸어갔다.

10 The students are coming (out of / down) the water.
학생들이 물 밖으로 나오고 있다.

11 I cooked dinner (to / for) my mom today.
오늘 나는 엄마를 위해 저녁을 요리했다.

12 Steve can make a plane (with / to) paper.
Steve는 종이로 비행기를 만둘 수 있다.

13 Some people are walking (along / across) the shore.
어떤 사람들은 해변을 따라 걷고 있다.

14 We can't win this game (in / without) him.
우리는 그가 없이는 시합에서 이길 수 없다.

15 The river runs (through / around) the city.
강이 시내를 통과해 흐른다.

WORDS

· gather 모이다   · campfire 모닥불   · information 정보   · pick up 집어 올리다   · coin 동전   · field 들판
· shore 해변

Start up

❶ 다음 보기에서 알맞은 말을 빈칸에 쓰세요.

> **보기**
>
> by, along, across, around, from, like, down, up, with, about, to, without

01 I go to school _____by_____ bus.
나는 버스 타고 학교에 간다.

02 My parents and I jog _____ the river every morning.
나의 부모님과 나는 매일 아침 강을 따라 조깅한다.

03 He planted trees _____ his house.
그는 집 주변에 나무를 심었다.

04 He left school _____ ten minutes ago.
그는 대략 10분 전에 학교를 떠났다.

05 We walked _____ the park this morning.
우리는 오늘 아침 공원을 가로질러 걸었다.

06 My mom returns home _____ work at seven.
엄마는 직장에서 7시에 돌아오신다.

07 The boy talks _____ a man.
그 소년은 어른스럽게 말한다.

08 I want to live in the world _____ any lies.
나는 거짓말이 없는 세상에서 살고 싶다.

09 The library is _____ the street.
도서관은 길 아래쪽에 있다.

10 We are going to climb _____ the mountain tomorrow.
우리는 내일 그 산을 오를 것이다.

11 I want to live _____ my parents.
나는 부모님과 함께 살고 싶다.

12 Sam drove me _____ the airport.
Sam이 차로 나를 공항에 데려다 주었다.

WORDS

• jog 조깅하다 • plant 심다 • return 돌아오다 • lie 거짓말 • climb 등산하다 • drive 운전하다, 태워다 주다

❷ 다음 보기에서 알맞은 말을 빈칸에 쓰세요.

> **보기**
>
> along, around, out of, for, across, into, like, about, through, with, without

01 He was driving _____along_____ the river.
그는 강을 따라 운전하고 있었다.

02 She picked some money _____ her pocket.
그녀는 주머니에서 돈을 좀 꺼냈다.

03 The women were sitting _____ the table.
여자들이 테이블 주위에 둘러앉아 있었다.

04 She has a lot of things to say _____ her daily life.
그녀는 일상생활에 관해서 할 말이 많다.

05 There's a bank right _____ the street.
도로 바로 건너편에 은행이 있다.

06 Sandra is looking outside _____ the window.
Sandra는 창을 통해 밖을 내다보고 있다.

07 Sam is very _____ his brother.
Sam은 그의 남동생과 아주 비슷하다.

08 We can't live _____ water.
우리는 물 없이 살 수 없다.

09 I have a book _____ Africa.
나는 아프리카에 관한 책이 있다.

10 This present is _____ you.
이 선물은 너를 위한 것이다.

11 Drop the noodles _____ the boiled water.
국수를 끊는 물에 넣어라.

12 The man is eating ice cream _____ a spoon.
그 남자는 스푼으로 아이스크림을 먹고 있다.

WORDS

· **daily life** 일상생활　· **street** 거리　· **present** 선물　· **noodle** 국수　· **boil** 끓다　· **spoon** 스푼, 숟가락

1 다음 밑줄 친 부분을 바르게 고쳐 쓰세요.

01 The boys were running <u>into</u> the school.
소년들이 학교 밖으로 달려 나오고 있었다.

out of

02 They are going to walk <u>along</u> the forest.
그들은 숲을 통과해 걸을 것이다.

03 He ran <u>out of</u> the office to see his father.
그는 아버지를 보기 위해 사무실 안으로 달려갔다.

04 There are no parking lots <u>through</u> the theater.
극장 주변에 주차장이 없다.

05 What can I do <u>on</u> you?
뭘 도와 드릴까요?

06 He was expelled <u>into</u> the school.
그는 학교에서 퇴학당했다.

07 Can you swim <u>to</u> the river?
너는 강을 가로질러 수영할 수 있니?

08 She walked her mother <u>for</u> the parking lot.
그녀는 그녀 어머니를 주차장까지 데려다 주었다.

09 I can't paint this wall <u>with</u> a brush.
나는 붓 없이 이 벽을 칠할 수 없다.

10 When will you leave <u>in</u> Boston?
너는 언제 보스턴으로 떠나니?

11 I want to go to the movies <u>without</u> my friends.
나는 친구들과 영화 보러 가고 싶다.

12 My friend, Jane sings very well <u>for</u> a singer.
내 친구 Jane은 가수처럼 노래를 매우 잘한다.

WORDS

· forest 숲　· theater 극장　· expel 퇴학시키다, 쫓아내다　· brush 솔, 붓　· leave 떠나다

❷ 다음 우리말과 일치하도록, 주어진 단어를 이용하여 문장을 완성하세요.

01 그들은 올림픽게임에 대해 얘기하고 있다. (the Olympic games)

→ They are talking _____ about the Olympic games _____.

02 나는 삼촌과 함께 산책하고 싶다. (a walk, take, my uncle)

→ I'd like to _____.

03 어린 소년처럼 행동하지 마라. (behave, a little, boy)

→ Don't _____.

04 그는 칼로 사과를 잘랐다. (a knife, the apple)

→ He cut _____.

05 테이블 주변에 4명의 소녀들이 있다. (four, the table, girls)

→ There are _____.

06 그는 상자에서 무언가를 꺼냈다. (something, the box)

→ He took out _____.

07 Jessie가 계단을 내려오고 있다. (go, the stairs)

→ Jessie is _____.

08 남자가 사다리를 올라가고 있다. (go, the ladder)

→ The man is _____.

09 그가 방으로 들어와 컴퓨터를 켰다. (the room, came)

→ He _____ and turned on the computer.

10 많은 사람들이 체육관 밖으로 나오고 있다. (the gym)

→ Many people are coming _____.

11 그녀는 지난주 그의 부모님과 캐나다에 왔다. (Canada, her parents, with)

→ She came _____ last week.

12 계란 없이 케이크를 만들 수 없다. (a cake, eggs)

→ We can't make _____.

WORDS
• behave 행동하다 • cut 자르다 • take out ~을 꺼내다 • ladder 사다리 • stair 계단 • turn on ~을 켜다
• gym 체육관

1 다음 빈칸에 공통으로 들어갈 전치사를 쓰세요.

01 All trains pass _____ the city hall.
   They walked _____ the village.   through

02 The bus arrived here _____ 5 minutes ago.
   He is looking for a book _____ Asian countries.

03 He is the most famous actor _____ the world.
   He wake up at seven _____ the morning.

04 I would like to take a trip _____ you.
   We eat food_____ chopsticks.

05 She bought a souvenir _____ her son.
   Kevin left _____ Seoul in the morning.

06 How many students are there _____ the bus stop?
   I don't drink coffee _____ night.

07 James lived _____ Seoul for 5 years.
   We have a lot of snow _____ February.

08 The department store is open _____ 10 a.m. to 8 p.m.
   We're going to learn boxing _____ tomorrow.

09 I'll be there _____ nine o'clock.
   We are going to travel from London to Paris _____ plane.

10 The Chinese restaurant will open _____ July 10.
   What do you usually do _____ Sundays?

11 He hopes to study abroad _____ the future.
   There are many mountains _____ Korea.

12 Jessica drove me _____ the station.
   She gave a piece of cake _____ me.

• city hall 시청 • village 마을 • Asian 아시아의 • chopstick 젓가락 • souvenir 기념품 • travel 여행하다
• abroad 해외에

정답 및 해설 **p.**

② 다음 밑줄 친 부분을 바르게 고쳐 쓰세요.

01 Who is the boy singing <u>behind</u> the people?
그 사람들 앞에서 노래하는 소년은 누구니?

in front of

02 The woman said to him <u>for</u> a smile.
그 여성은 미소를 지으면서 그에게 말했다.

03 Donovan sits <u>on</u> Jessie in class to help her.
Donovan은 Jessie를 도와주기 위해 수업시간에 그녀 옆에 앉는다.

04 Pour the mix <u>to</u> the hot frying pan.
혼합재료를 뜨거운 프라이팬에 부어라.

05 She took me <u>at</u> the emergency medical station.
그녀는 나를 응급센터로 데려갔다.

06 E-mail is a way of sending a message <u>between</u> one computer to other computers.
이메일은 한 컴퓨터에서 다른 컴퓨터들로 메시지를 보내는 방법이다.

07 Mike heard about the rumor <u>to</u> his mother.
Mike는 그 소문에 대해 그의 어머니로부터 들었다.

08 Boil the water <u>during</u> about 15 minutes.
물을 약 15분 동안 끓여라.

09 I have an English exam <u>in</u> Wednesday.
수요일에 영어시험이 있다.

10 They picked up the tents <u>at</u> almost midnight.
그들은 거의 자정까지 텐트를 세웠다.

11 Tony jumped <u>into</u> the car before it crashed.
Tony는 차가 사고 나기 전에 밖으로 뛰어내렸다.

12 There are many apples <u>on</u> the basket.
바구니 안에 많은 사과들이 있다.

WORDS

• pour 붓다, (음료를) 따르다 • mix 혼합물 • emergency 비상 (사태) • medical 의료의 • station 특정한 장소, 건물
• rumor 소문 • boil 끓이다 • pick up 세우다 • almost 거의 • jump 뛰다 • crash 사고 나다, 충돌하다

3 다음 보기에서 알맞은 말을 골라 빈칸에 쓰세요. (중복해서 사용할 수 없음)

> 보기
>
> to, without, for, among, from, into, along, with, like, about, around, between

01 Let's go _____to_____ the museum after school.

02 When are you going to leave _____ New York?

03 There is a tree _____ the car and the bike.

04 He asked me a question _____ Korean culture.

05 The dog _____ a long tail is mine.

06 They look _____ professional baseball players.

07 Mike is the shortest _____ the four boys.

08 We can't finish the project _____ his help.

09 How long does it take _____ here to the airport?

10 Michelle walked _____ the bakery to buy some bread.

11 She and I like to walk _____ the beach.

12 There is no subway station _____ the shopping mall.

WORDS

• culture 문화   • professional 전문적인   • tail 꼬리   • project 프로젝트   • bakery 빵집   • beach 해변

④ 다음 영어를 우리말로 쓰세요.

01 Jessie and I walked down the mountain.
➡ _____ Jessie와 나는 산을 걸어 내려왔다. _____

02 There are gift boxes under the Christmas tree.
➡ _____

03 Susan is climbing up the hill.
➡ _____

04 She is standing by the big tree.
➡ _____

05 Who is the girl behind the tower?
➡ _____

06 My parents like to walk along the river.
➡ _____

07 David returned to his office at noon.
➡ _____

08 Tom raised his book over his head.
➡ _____

09 This computer game is very popular among teens.
➡ _____

10 What are you going to do with the money?
➡ _____

11 Put some water into the bowl.
➡ _____

12 He wrote something on the wall.
➡ _____

• gift 선물 • hill 언덕 • river 강 • raise 들어 올리다 • bowl 그릇, 사발 • something 뭔가

Actual Test

[1-4] 다음 중 빈칸에 알맞은 말을 고르세요.

1

> The rumor about him spread _____ the nation.

① on   ② across
③ below   ④ under
⑤ among

2

> Put reusable things _____ the recycling bin.

① of   ② at
③ for   ④ to
⑤ in

3

> What is the difference _____ those two cars?

① of   ② to
③ out of   ④ for
⑤ between

4

> We can't live _____ air.

① over   ② to
③ without   ④ during
⑤ between

[5-8] 다음 중 빈칸에 공통으로 들어갈 말을 고르세요.

5

• Can you find the hospital _____ the map?
• His office is _____ the right of the restaurant.

① on   ② at
③ for   ④ to
⑤ in

5
map 지도

6

• I am watching a documentary _____ Asian food.
• They are talking _____ the final exams.

① over   ② about
③ without   ④ during
⑤ between

6
documentary
다큐멘터리
final exam 기말시험

7

• Who is tallest _____ them?
• It's a popular food _____ Mexicans.

① over   ② beside
③ among   ④ during
⑤ by

8

• The shopping mall doesn't open _____ Mondays.
• There will be a concert _____ November 10.

① on   ② at
③ for   ④ to
⑤ in

8
특정일이나 요일 앞에는
오는 전치사를 알아보세
요.

9 다음 중 밑줄 친 부문의 쓰임이 다른 것을 고르세요.

① Jane doesn't <u>like</u> noodles.
② Do you <u>like</u> Jane?
③ I <u>like</u> to play basketball.
④ What do you <u>like</u> most?
⑤ I like Korean food <u>like</u> Kimchi and Bibimbap.

9

noodle 국수

[10–12] 다음 중 빈칸에 들어갈 말이 바르게 짝지어진 것을 고르세요.

10

- He goes to work _____ bus.
- The river flows _____ the jungle.

① by - in   ② at - by
③ on - between   ④ by - through
⑤ on - for

10

work 직장
flow 흐르다

11

- I will stay there _____ two weeks.
- My uncle will be here _____ the summer vacation.

① on - for   ② at - on
③ for - at   ④ during - to
⑤ for - during

11

기간을 나타내는 전치사를 알아보세요.

there 그곳에
here 이곳에

12

- It will rain _____ tomorrow afternoon.
- When will you leave _____ Austria?

① on - for   ② by - for
③ for - in   ④ until - for
⑤ for - to

12

leave 떠나다
Austria 오스트리아

[13–14] 다음 밑줄 친 부분이 바르지 <u>않은</u> 것을 고르세요.

13 ① I go swimming <u>on</u> Mondays.
    ② He arrived in New York <u>at</u> 8 o'clock.
    ③ She moved to Seoul <u>in</u> 2011.
    ④ Is this train <u>with</u> Busan?
    ⑤ It rains a lot <u>in</u> July.

14 ① I took a rest <u>for</u> 30 minutes.
    ② It is very hot <u>during</u> the day.
    ③ We stayed in Seoul <u>for</u> a month.
    ④ She asked many questions <u>during</u> the class.
    ⑤ Bears sleep <u>for</u> winter.

14
during과 for의 의미를
알아보세요.
take a rest 휴식하다
during the day
낮 동안

15 다음 중 빈칸에 들어갈 말이 <u>다른</u> 것을 고르세요.

    ① I was born _____ winter.
    ② I have a math class _____ the morning.
    ③ They were swimming _____ the pool.
    ④ We start a new school year _____ March.
    ⑤ Americans eat turkey _____ Thanksgiving Day.

16 다음 두 문장의 의미가 같도록 만들 때, 빈칸에 알맞은 전치사를 쓰세요.

> He had dinner. Then, he took a walk.
> = He took a walk _____ dinner.

→ _____

17 다음 빈칸에 공통으로 들어갈 전치사를 쓰세요.

• There was a strong storm _____ Thailand.
• He bought a computer _____ April.
• Korea held World Cup _____ 2002.

➡ _____

Note

17
storm 강풍
April 4월
hold 개최하다

18 다음 빈칸에 알맞은 말을 쓰세요.

There's a bookstore _____ to the school. You can find it easily.

➡ _____

18
find 찾다, 발견하다
easily 쉽게

19 다음 각 빈칸에 들어갈 알맞은 말을 쓰세요.

• He drinks milk _____ his health.
• I'll pick you up _____ six.

➡ _____

19
health 건강

20 다음 우리말과 일치하도록 빈칸에 알맞은 말을 쓰세요.

1) Sam은 그의 사무실에서 걸어 나오고 있다.
   Sam is walking _____ his office.

   ➡ _____

2) 나무 아래에 자전거가 있다.
   There is a bike _____ the tree.

   ➡ _____

20
전치사 into의 반대되는
표현을 알아보세요.

Chapter

6

접속사

UNIT 01 등위접속사

접속사는 단어와 단어 구와 구 그리고 문장(구)과 문장(구)을 연결시키는 역할을 하며, 문법적으로 대등한 역할을 하는 단어와 단어, 구와 구, 문장과 문장을 이어주는 말을 등위 접속사라고 합니다. 등위 접속사에는 and, or, but 등이 있습니다.

1. and: '그리고', '~와'라는 뜻으로 서로 비슷한 내용을 연결하는 역할을 합니다.

단어+접속사+단어	**Peter and I** like fruits. Peter와 나는 과일을 좋아한다.
구+접속사+구	I have **two cats and three dogs**. 나는 고양이 두 마리와 개 세 마리가 있다.
문장+접속사+문장	**I like English and he likes math**. 나는 영어를 좋아하고 그는 수학을 좋아한다.

Plus 1
• 등위접속사가 연결하는 대상이 셋 이상일 때, 마지막 것의 앞에만 접속사를 씁니다.
I like math, science, **and** history. 나는 수학, 과학 그리고 역사를 좋아한다.

2. but: '그러나', '하지만'이라는 의미로 서로 반대되는 것을 연결합니다.

단어+접속사+단어	Sam is **lazy but smart**. Sam은 게으르지만 영리하다.
구+접속사+구	She is **good at math but not at English**. 그녀는 수학을 잘하지만 영어는 못한다.
문장+접속사+문장	**I like fruits but I don't like vegetables**. 나는 과일을 좋아하지만 야채는 좋아하지 않는다.

3. or: '또는', '혹은', '아니면'이라는 의미로 둘 이상에서 선택사항을 연결합니다.

단어+접속사+단어	Is it **the sun or the moon**? 그것은 태양이니 달이니?
구+접속사+구	I go to school **by bus or on foot**. 나는 학교에 버스를 타고 가거나 걸어서 간다.
문장+접속사+문장	**We can go to the movies, or we can stay at home**. 우리는 영화를 보러 가거나 집에 머무를 수 있다.

Plus 2
• and는 둘 다를, or는 둘 중 하나를 선택할 때 사용합니다.
I will eat pizza **and** apples. (피자와 사과 모두)   I will eat pizza **or** apples. (피자와 사과 중 하나)

4. 명령문+and / or

| 명령문 and+바람직한
결과(그러면) | Take the taxi, **and** you will get there in time.
택시를 타라, 그러면 거기에 제시간에 도착할 거야. |
| 명령문 or+바람직하지
않은 결과(그렇지 않으면) | Don't drive too fast, **or** you will get a ticket.
너무 빨리 운전하지 마, 그렇지 않으면 딱지를 끊을 거야. |

Warm up

● 다음 괄호 안에서 알맞은 말을 고르세요.

01 She has a cat, ((but) / and) she doesn't have a dog.
그녀는 고양이는 있지만, 개는 없다.

02 I want to be a doctor (or / but) a teacher.
나는 의사 또는 선생님이 되고 싶다.

03 Take the subway, (and / or) you will be late for the meeting.
지하철을 타라, 그렇지 않으면 회의에 늦을 것이다.

04 She (and / but) Amy are nurses.
그녀와 Amy는 간호사이다.

05 I like science (and / but) she doesn't like it.
나는 과학을 좋아하지만 그녀는 좋아하지 않는다.

06 Eat more vegetables, (and / or) you will be healthy.
야채를 더 먹어라, 그러면 건강해 질 것이다.

07 Sam is very tall (but / or) he is not good at basketball.
Sam은 키가 크지만 농구는 잘하지 못한다.

08 I can speak English (and / but) she can't speak English.
나는 영어를 할 수 있다, 그러나 그녀는 영어를 하지 못한다.

09 My brother is strong (and / but) brave.
내 남동생은 강하고 용감하다.

10 Practice hard, (and / or) you will be a great musician.
열심히 연습해라, 그러면 훌륭한 음악가가 될 것이다.

11 Are you Korean (and / or) Japanese?
너는 한국인이니 일본인이니?

12 Mike is good at soccer (and / but) poor at baseball.
Mike는 축구는 잘하지만 야구는 잘하지 못한다.

WORDS

· meeting 회의   · nurse 간호사   · healthy 건강한   · brave 용감한   · great 위대한, 훌륭한   · musician 음악가
· practice 연습하다

❶ 다음 빈칸에 or, and, but 중 알맞은 것을 쓰세요.

01 Mike _____and_____ Jenny are from Brazil.

02 I like chocolate _____ I don't like ice cream.

03 His car is old, _____ it still looks fine.

04 Kevin brushed his teeth _____ went to bed.

05 He bought some apples _____ grapes at the market.

06 Study hard, _____ you will get a good score.

07 I remember you, _____ you don't remember me.

08 She ran fast _____ she didn't win the race.

09 Which do you like better, baseball _____ soccer?

10 You may go home now, _____ a little later.

11 Take this medicine, _____ you will feel better.

12 Wake him up now, _____ he will sleep all day.

· brush 닦다   · market 시장   · remember 기억하다   · take 섭취하다   · medicine 약   · later 나중에
· all day 하루 종일

❷ 다음 빈칸에 or, and, but 중 알맞은 것을 쓰세요.

01 Take a rest, _____and_____ you will feel better.

02 Lisa bought cookies _____ gave them to her friends.

03 We can eat curry rice _____ noodles for lunch.

04 Will you buy a big bag _____ a small bag?

05 Is he a baseball player _____ a soccer player?

06 I studied hard _____ my test score was not good.

07 I tried to solve the problem _____ it was too hard for me.

08 I visited her, _____ she was not at home.

09 Put on your coat, _____ you will catch a cold.

10 Work hard, _____ you will succeed.

11 Jennifer likes cats _____ she doesn't have any cats.

12 Be kind, _____ you will have many friends.

· hard 열심히　· succeed 성공하다　· catch a cold 감기 걸리다　· put on ~을 입다, 신다　· kind 친절한

Check up & Writing

① 다음 밑줄 친 부분을 바르게 고쳐 쓰세요.

01 My sister is short <u>or</u> she is good at basketball.　　　　　but

02 The girl may be four <u>and</u> five years old.

03 My father drives a car slowly <u>but</u> carefully.

04 Are you American <u>but</u> Canadian?

05 I tried to go back to sleep <u>and</u> I couldn't.

06 Amy has a big sister <u>but</u> two brothers.

07 Which do you like, beef <u>and</u> chicken?

08 Have some food, <u>and</u> you will feel hungry.

09 I went to the museum yesterday, <u>and</u> it was closed.

10 Jessica is tall <u>but</u> beautiful.

11 Start now, <u>and</u> you will miss the train.

12 Do you want to stay at home <u>and</u> play outside?

13 Jenny can drive a car, <u>and</u> James can't.

14 Sara got up early, <u>or</u> she was late for school.

15 Do some exercise, <u>and</u> you will get fat.

· carefully 조심스럽게　· outside 밖[바깥]　· beef 소고기　· miss 놓치다　· exercise 운동하다　· fat 뚱뚱한

② 다음 우리말과 일치하도록, 주어진 단어를 이용하여 문장을 완성하세요.

01 오늘은 춥고 바람이 분다. (cold, windy, today)

→ It's _____ cold and windy today _____ .

02 나는 과학을 좋아하지만 내 여동생은 좋아하지 않는다. (my sister, it, like, doesn't)

→ I like science, _____ .

03 휴식을 해라, 그렇지 않으면 피곤할 것이다. (feel, will, tired, you)

→ Take a rest, _____ .

04 이 자동차는 네 것이니 너의 아빠 것이니? (this car, your father's, yours)

→ Is _____ ?

05 죄송합니다만, 빈방이 없습니다. (have, we, no, vacancy)

→ I am sorry, _____ .

06 나는 집에 남아서 TV를 볼 것이다. (at home, stay, TV, watch)

→ I am going to _____ .

07 조심해라, 그렇지 않으면 실수를 할 것이다. (make, you, a mistake, will)

→ Be careful, _____ .

08 내 남동생은 영리하지만 게으르다. (lazy, smart)

→ My little brother is _____ .

09 이 셔츠는 저렴하지만 품질이 좋다. (quality, its, is, good)

→ This shirt is very cheap, _____ .

10 모퉁이에서 오른쪽으로 가라, 그러면 서점이 보일 것이다. (you, find, will, the bookstore)

→ Turn right at the corner, _____ .

11 그녀는 편지를 썼지만 그것을 보내지 않았다. (didn't she, it, send)

→ She wrote a letter, _____ .

12 그녀는 간호사니 아니면 의사니? (a nurse, a doctor)

→ Is she _____ ?

WORDS

· windy 바람 부는　· mistake 실수　· vacancy (호텔 등의) 빈 방[객실]　· find 발견하다　· cheap 저렴한
· quality 제품의 질

UNIT 02

시간, 이유, 결과 접속사

시간, 이유, 결과의 접속사로 사용되는 경우에는 접속사 뒤에 「주어+동사 ～」의 문장이 와야 합니다. 접속사가 이끄는 부사절은 주절 앞에 오거나, 뒤에 올 수 있으며, 주절 앞에 오는 경우에는 부사절 뒤에 콤마를 씁니다.

1. 시간 접속사

when	~할 때	**When** you smile, I feel happy. 네가 미소 지을 때, 나는 행복을 느낀다. I liked to swim in the sea **when** I was young. 나는 어렸을 때 바다에서 수영하는 것을 좋아했다.
while	~하는 동안	**While** I was waiting for him, I listened to the radio. 그를 기다리는 동안 나는 라디오를 들었다. Don't speak **while** I'm speaking. 내가 말하는 동안 (너는) 말하지 마라.
as (when, while 보다 동시성이 강함)	~하는 동안에 ~하면서 ~하고 있을 때	**As** he got off the bus, he listened to the radio. 그가 버스에서 내리면서 라디오를 들었다. **As** he grows older, he will become faster. 그는 점점 자라면서, 더 빨리 뛰게 될 것이다.
after	~한 후에	I took a nap **after** I had lunch. 나는 점심을 먹은 후에 낮잠을 잤다. She had breakfast **after** she took a shower. 그녀는 샤워 후 아침을 먹었다.
before	~하기 전에	Hurry up **before** it's too late. 너무 늦기 전에 서둘러라. Turn off the light **before** you go to bed. 잠자기 전에 불을 꺼라.
until	~할 때까지	I will wait **until** you are ready. 나는 네가 준비될 때까지 기다릴 것이다. Let's wait **until** the rain stops. 비가 그칠 때까지 기다리자.

Plus 1
- after, before, until은 전치사 또는 접속사로 사용될 수 있습니다. 전치사로 사용되는 경우에는 뒤에 명사가 와야 하고, 접속사로 사용되는 경우에는 뒤에 「주어+동사 ～」의 문장이 와야 합니다.
  I finished my homework after dinner. 나는 저녁식사 후에 내 숙제를 끝냈다.
- 특정 기간 동안 두 가지 사건이 동시에 일어나고 있을 때 when, as, while을 모두 쓸 수 있습니다.

2. 접속사 because와 so

because	~ 때문에 (직접적인 원인, 이유)	I can't go out **because** it is raining now. 지금 비가 와서 밖으로 나갈 수가 없다. I like Sally **because** she is very kind. Sally는 친절하기 때문에 나는 그녀를 좋아한다.
so	그래서, 그러므로(결과)	I made a mistake, **so** I didn't pass the test. 나는 실수를 해서 시험에 통과하지 못했다. I like to sing a song **so** I want to be a singer. 나는 노래 부르는 것을 좋아해서 가수가 되고 싶다.

Plus 2
- because of 다음에는 명사 혹은 동명사만 나옵니다.
  She couldn't get a job **because of** her laziness. 그녀는 게을러서 직업을 구할 수 없었다.

● 다음 괄호 안에서 알맞은 말을 고르세요.

01 She couldn't see the movie (so / (because)) she fell asleep.

그녀는 그 영화를 보지 못했다. 왜냐하면 그녀는 잠이 들었다.

02 He got some money from his mother, (so / because) he could buy the shoes.

그는 어머니로부터 돈을 받았다. 그래서 그 신발을 살 수 있었다.

03 (So / When) I was young, I saw the movie.

내가 어렸을 때 그 영화를 보았다.

04 I did the dishes (before / because) I went out.

나는 나가기 전에 설거지를 했다.

05 They ate hamburgers (before / because of) they played baseball.

그들은 야구를 하기 전에 햄버거를 먹었다.

06 He helped me a lot, (so / until) I bought him dinner.

그가 나를 많이 도와줘서 그에게 저녁을 샀다.

07 Stop bothering me (until / while) I'm reading a book.

내가 책을 읽을 동안에는 괴롭히지 마라.

08 I was born in Seoul and lived there (until / while) I was ten.

나는 서울에서 태어나 10살 때까지 살았다.

09 (As / So) Sally grew older, she became fat.

Sally는 자라면서 뚱뚱해졌다.

10 He ate pizza (while / because) he was playing computer games.

그는 컴퓨터 게임을 하면서 피자를 먹었다.

11 I drew this picture (when / so) I was at school.

내가 학교 다닐 때 이 그림을 그렸다.

12 Please, call me (while / when) you need my help.

내 도움이 필요할 때 전화하세요.

13 I will wait for my son (until / while) he gets home.

나는 내 아들이 집에 올 때까지 그를 기다릴 것이다.

14 Knock on the door (after / before) you enter the room.

방에 들어오기 전에 문을 두드려라.

15 I'm busy now (so / while) I can't play baseball with you.

나는 지금 바빠서 너와 야구를 할 수 없다.

WORDS

· fall asleep 잠들다   · bother 괴롭히다   · grow ~하게 되다, 자라다   · draw 그리다   · enter 들어가다   · knock 두드리다

Start up

시간, 이유, 결과 접속사 확인하기

1 다음 빈칸에 알맞은 말을 쓰세요.

01 You can't leave the classroom _____until_____ the class is over.

수업이 끝날 때까지 교실을 떠날 수 없다.

02 _____ he first came here, he didn't know about Korean history.

그는 처음 여기에 왔을 때 한국역사에 대해 잘 몰랐다.

03 _____ the river got dirtier, our health got worse.

강이 점점 더러워지면서 우리의 건강은 더욱 나빠졌다.

04 _____ it was too cold, I stayed at home.

날씨가 너무 추워서 나는 집에 있었다.

05 He took a shower, _____ I was watching TV.

내가 TV를 보고 있는 동안 그는 샤워를 했다.

06 They couldn't meet their friends _____ the trial was over.

그들은 재판이 끝날 때까지 친구들을 만나지 못했다.

07 I had to walk home, _____ I was very tired.

나는 집에 걸어와야 해서 매우 피곤했다.

08 I will wait _____ you are ready.

나는 네가 준비될 때까지 기다릴 것이다.

09 _____ I was sleeping, I had a strange dream.

잠을 자는 동안 이상한 꿈을 꾸었다.

10 Jennie took a taxi _____ she was late for work.

Jennie는 직장에 늦어서 택시를 탔다.

11 She has to lose weight, _____ she works out every morning.

그녀는 살을 빼야 해서 매일 아침 운동을 한다.

12 We will not go out _____ you arrive here.

우리는 네가 도착할 때까지 나가지 않을 것이다.

WORDS

· dirty 더러운　· trial 재판　· over 끝나다　· strange 이상한　· ready 준비된　· weight 몸무게　· work out 운동하다
· go out 나가다, 외출하다

❷ 다음 빈칸에 알맞은 말을 쓰세요.

01 _____When_____ she was a child, she went to church.
그녀가 어렸을 때 그녀는 교회에 다녔다.

02 She called me _____ I was taking a shower.
내가 샤워하는 동안 그녀가 전화를 했다.

03 Ann left her hometown _____ she graduated from a high school.
Ann은 고등학교를 졸업한 후 그녀의 고향을 떠났다.

04 _____ she was eating dinner, she watched TV.
그녀는 저녁을 먹으면서 TV를 봤다.

05 She had a stomachache, _____ she went to a doctor.
그녀는 배가 아파서 병원에 갔다.

06 _____ he eats food, he always uses chopsticks.
그는 음식을 먹을 때 항상 젓가락을 이용한다.

07 Do not start eating _____ food is served to everyone.
모든 사람에게 음식이 제공될 때까지 먹지 마라.

08 You have to use English _____ you are at school.
학교에 있는 동안 여러분은 영어를 사용해야 합니다.

09 His car broke down, _____ he was late this morning.
자동차가 고장이 나서 그는 오늘 아침에 지각했다.

10 Peter couldn't sleep last night _____ he was so nervous.
Peter는 너무 긴장을 해서 어젯밤 잠을 자지 못했다.

11 Her husband became silent _____ time went by.
시간이 흐르면서 그녀의 남편은 말수가 줄었다.

12 The fruits do not smell _____ they begin to ripen.
그 열매는 익기 시작할 때까지 냄새가 나지 않는다.

WORDS

• chopstick 젓가락   • serve 제공하다   • break down 고장 나다   • nervous 긴장한   • silent 말이 없는
• go by 지나가다   • ripen 익다

1 다음 밑줄 친 부분을 바르게 고쳐 쓰세요.

01 You should warm up <u>until</u> you play soccer.

축구를 하기 전에 반드시 몸을 풀어야 한다.

before

02 <u>So</u> she was taking a walk, she listened to music.

그녀는 산책을 하는 동안 음악을 들었다.

03 <u>So</u> Tom heard the news, he was stunned.

Tom은 그 소식을 듣고 깜짝 놀랐다.

04 Please fasten your seat seatbelt, <u>so</u> the pilot turns off the seatbelt sign. 조종사가 안전벨트 사인을 끌 때까지 안전벨트를 착용하세요.

05 <u>Before</u> she entered the building, she took a deep breath.

그녀는 건물에 들어가면서 심호흡을 했다.

06 I like Eric <u>because of</u> he is very handsome.

나는 Eric을 좋아한다. 왜냐하면 그는 매우 잘생겼다.

07 My sister is young <u>because</u> she can't understand the novel.

내 여동생은 어려서 그 소설을 이해할 수 없다.

08 I will have dinner <u>before</u> I take a shower.

나는 샤워 후 저녁을 먹을 것이다.

09 <u>While</u> you leave the room, turn off the TV.

방을 나갈 때 TV를 꺼라.

10 Paul is in the hospital <u>because</u> the car accident.

Paul은 교통사고 때문에 병원에 있다.

11 I lived with my aunt <u>when</u> I was fourteen.

나는 14살까지 고모와 함께 살았다.

12 Billy has no friend, <u>while</u> he feels lonely.

Billy는 친구가 없어서 외로움을 느낀다.

WORDS

· fasten 매다, 잠그다 · seatbelt 좌석벨트 · pilot 비행기조종사 · novel 소설 · deep 깊은
· breath (한 번 들이쉬는) 숨 · sign 신호 · stunned 놀란 · handsome 잘생긴 · turn off (가전제품을) 끄다
· accident 사고 · lonely 외로운

❷ 다음 우리말과 일치하도록, 주어진 단어를 이용하여 문장을 완성하세요.

01 영화가 지루해서 나는 잠이 들었다. (the movie, boring, was)

→ _____Because the movie was boring_____, I fell asleep.

02 운동을 할 때 규칙을 지켜야 한다. (play, sports, you)

→ _____, you must keep the rules.

03 눈이 많이 와서 학교에 갈 수 없었다. (go to, couldn't, I, school)

→ It snowed too much, _____.

04 나는 그가 정직해서 그를 좋아한다. (honest, he, is)

→ I like him _____.

05 내가 어릴 때 나는 종종 동물원에 갔다. (a child, was, I)

→ _____, I often went to the zoo.

06 그녀는 영화를 보는 동안 팝콘을 먹었다. (was, watch, she, the movie)

→ _____, she ate popcorn.

07 상자가 너무 무거워서 나 혼자서 옮길 수 없다. (it, alone, move, I, can't)

→ The box is so heavy, _____.

08 너는 등산할 때 일기예보를 들어야 한다. (you, a mountain, climb)

→ You should listen to the weather report, _____.

09 그녀는 나이가 들면서 말이 많아졌다. (she, older, grew)

→ _____, she became talkative.

10 그 아기는 영화가 끝날 때까지 계속 울었다. (over, the movie, was)

→ The baby kept crying, _____.

11 Sam이 저녁을 먹고 있는 동안 그의 엄마는 책을 읽었다. (Sam, was, dinner, eat)

→ _____, his mom read a book.

12 Brian은 직업을 가진 후 런던으로 이사할 계획이었다. (got, a job, he)

→ Brian planned to move to London _____.

WORDS

• keep 지키다, 유지하다 • boring 지루한, 재미없는 • too much 너무 많이 • alone 혼자 • weather report 일기예보
• talkative 말이 많은, 수다스러운 • keep 계속하다 • plan 계획하다

UNIT 03 조건, 양보, 상관 접속사

조건, 양보 접속사는 뒤에 「주어+동사 ~」의 문장이 오며, 상관 접속사의 경우 동사의 수 일치에 유의해야 합니다.

1. 조건의 접속사

if	~하면	**If** you start now, you will catch the bus. 지금 출발하면 너는 버스를 탈 것이다.
unless	~하지 않으면 (부정어와 함께 쓰지 않는다.)	**Unless** you start now, you will miss the bus. = If you don't start now, you will miss the bus. 지금 출발하지 않으면 버스를 놓칠 것이다.

Plus 1
• 때(시간)나 조건을 나타내는 접속사가 이끄는 문장에는 미래형(will)을 사용할 수 없으며, 현재시제가 미래를 대신합니다.
If it **will rain** tomorrow, we will stay at home. (x)　　　If it **rains** tomorrow, we **will** stay at home. (o)

2. 양보 접속사

though / although	비록 ~일지라도, ~에도 불구하고	**Though** he was rich, he was not happy. 그는 부자였음에도 불구하고, 행복하지 않았다. **Although** I was very sick, I went to school. 비록 나는 매우 아팠을지라도, 학교에 갔다.

Plus 2
• 양보의 의미를 가지고 있는 전치사 despite, in spite of 다음에는 반드시 「주어+동사」가 아닌 명사 혹은 동명사만 나올 수 있습니다.
Despite [In spite of] his effort, he couldn't pass the test.　그의 노력에도 불구하고 그는 시험에 떨어졌다.
Despite **the rain**, we played soccer. = Even though **it was raining**, we played soccer.

3. 상관 접속사: 상관 접속사는 둘 이상의 단어가 반드시 짝을 이루어 쓰이는 접속사를 말합니다.

both A and B	A와 B 둘 다	Both he **and** I like apples. She can speak **both** Chinese **and** Japanese.
either A or B	A, B 둘 중 하나	I will drink **either** milk **or** orange juice. **Either** she **or** I will leave. 둘 중에 한 명은 떠난다.
neither A nor B	A도 B도 아닌	I have **neither** milk **nor** orange juice. **Neither** she **nor** I will leave. 아무도 안 떠난다. (전체 부정)
not only A but (also)B = B as well as A	A뿐만 아니라 B도	She is **not only** brave **but also** confident. = She is confident **as well as** brave.
not A but B	A가 아니라 B	It is **not** a dog **but** a wolf.

Plus 3
• either A or B, neither A nor B에서 동사는 B의 수에 일치시키고, both A and B는 복수 취급합니다. A as well as B에서 동사는 A의 수에 일치시킵니다.
You as well as I **are** responsible for the accident.

Warm up

● 다음 괄호 안에서 알맞은 말을 고르세요.

01 (As / (Though)) she is poor, she is happy.

02 You can't improve your English skill (if / unless) you keep using Korean

03 (In spite of / Although) her effort, she couldn't reach the goal.

04 He can speak Chinese (not only / as well as) English.

05 Neither he (nor / or) you are wrong.

06 Both you and your mother (has / have) to go there tomorrow.

07 Either he (or / and) his wife will help us.

08 You will miss the train (if / unless) you walk more quickly.

09 (Although / If) he studied hard, he couldn't get a good grade on the test.

10 (Despite / Although) the heavy rain, we played soccer yesterday.

11 She gave Peter not only clothes (as / but also) money.

12 She as well as they (get up / gets up) early in the morning.

13 You don't have to attend the meeting (as / unless) you want to.

14 I have (neither / either) a dog nor a cat.

15 (Either / Neither) I or Donovan is going to take part in the seminar.

WORDS

• improve 개선하다   • skill 기술, 기량   • effort 노력   • despite ～에도 불구하고   • in spite of ～에도 불구하고
• reach 도달하다, (목표한 것에) 이르다   • goal 목표   • unless ～하지 않는 한   • wrong 틀린, 잘못된   • quickly 빠르게
• grade 점수, 등급   • clothes 옷, 의류   • take part in 참여하다   • seminar 세미나

❶ 다음 보기에서 알맞은 말을 골라 빈칸에 쓰세요. (중복 사용 가능)

보기

| both | unless | nor | not only | either | as well as |
| although | in spite of | if | neither | or |

01 _____Both_____ his mom and his father like to read books.

02 Sara is good at _____ baseball but also basketball.

03 _____ Sam or I have to take care of the children.

04 This movie is very popular in Korea _____ in China.

05 _____ he is poor, I love him very much.

06 You can stay here with me _____ you want to.

07 They _____ ate nor drank for five days.

08 You may go home _____ you have further questions.

09 She is a poet _____ a teacher.

10 Neither he _____ I have to wear school uniforms.

11 Amy is going to learn either English _____ Chinese next year.

12 _____ our efforts, we failed to win the championship.

WORDS

· further 더, 더 나아가 · poet 시인 · wear 입다 · uniform 교복 · fail 실패하다 · win 승리하다
· championship 선수권 대회

❷ 다음 보기에서 알맞은 말을 골라 빈칸에 쓰세요. (중복 사용 가능)

보기

| and | as well as | unless | not only | though |
| or | but also | either | if | but |

01 Both Jake _____and_____ I are Koreans.

02 He is a talented painter _____ a fashion designer.

03 Cathy is not only smart _____ beautiful.

04 Koreans use _____ chopsticks or spoons to eat food.

05 _____ you study harder, you can't get good scores.

06 _____ red but also green looks good on you.

07 He can't speak English _____ he is living in Canada.

08 She will not forgive you _____ you don't apologize to her.

09 She is not a teacher _____ a doctor.

10 _____ Tom is young, he's good at science.

11 You will get to Seoul in time _____ you get on the train now.

12 I'm going to meet either James _____ Jennie tomorrow.

WORDS
· talented 재능 있는   · painter 화가   · fashion 패션   · forgive 용서하다   · apologize 사과하다   · in time 제시간에

1 다음 영어를 우리말로 쓰세요.

01 We will go on a picnic if it doesn't rain tomorrow.
➡ _____ 내일 비가 오지 않으면 우리는 소풍을 갈 것이다. _____

02 Unless you stop smoking, you will get cancer.
➡ _____

03 Although my uncle is very old, he is very healthy.
➡ _____

04 His dog is neither big nor small.
➡ _____

05 You will be late for the meeting unless you take a taxi.
➡ _____

06 You will be punished if you do it again.
➡ _____

07 Though Peter is American, he knows very well about Korean culture.
➡ _____

08 You can't finish your homework before dinner unless you stop playing computer games now.
➡ _____

09 My father read a newspaper while he was eating breakfast.
➡ _____

10 Either you or Kevin has to clean the living room.
➡ _____

11 Both he and I can speak English fluently.
➡ _____

12 Neither he nor I can jump higher than Sara.
➡ _____

· cancer 암 · healthy 건강한 · get on 탈 것에 타다 · miss 놓치다 · punish 벌을 주다 · fluently 유창하게

❷ 다음 우리말과 일치하도록, 주어진 단어를 이용하여 문장을 완성하세요.
(필요하면 단어를 변경하세요.)

01 내일 날씨가 너무 추우면 나는 외출하지 않을 것이다. (is, it, too, cold)

→ I will not go out _____ if it is too cold _____ tomorrow.

02 학생들은 바지와 치마 둘 다 입을 수 있다. (pants, a skirt, and, wear)

→ The students may _____.

03 지금 피자를 먹지 않으면 나중에 배가 고플 것이다. (eat pizza, you, now)

→ You will be hungry later _____.

04 그와 Sam은 둘 다 서울에 살지 않는다. (he, nor, live, Sam)

→ _____ in Seoul.

05 그는 캐나다에 살 때 시뿐만 아니라 소설도 썼다. (poets, novels, as well as)

→ He wrote _____, when he lived in Canada.

06 운동은 신체뿐만 아니라 마음에도 좋다. (body, not only, mind)

→ Exercise is good for _____.

07 비록 어제 눈이 많이 왔지만, 교통체중은 심하지 않았다. (it, a lot, snowed, yesterday)

→ _____, the traffic was not heavy.

08 Sam뿐만 아니라 Peter도 롤러코스터를 타기를 원한다. (Sam, Peter, want, but also)

→ _____ to ride a roller coaster.

09 선생님도 학생들도 교실에 없다. (the teacher, the students, nor)

→ _____ are in the classroom.

10 그는 아들을 위해 자전거가 아닌 컴퓨터를 샀다. (a bike, a computer)

→ He bought not _____ for his son.

11 열심히 일하면 너는 돈을 많이 모을 것이다. (work, hard, you)

→ You will save a lot of money _____.

12 코트를 입지 않으면 너는 감기에 걸릴 것이다. (wear, you, a coat)

→ You will have a cold _____.

WORDS

· go out 외출하다 · skirt 치마 · exercise 운동 · mind 마음 · traffic 교통 · heavy 심한, 무거운 · save 저축하다

Level up

1 다음 밑줄 친 부분을 바르게 고쳐 쓰세요.

01 She gave me not only some coins <u>also</u> a bottle of water.   but also

02 The store was closed, <u>because</u> I couldn't buy a shirt.

03 <u>Though</u> you turn right on the corner, you will find the drugstore.

04 <u>If</u> I saw the movie last week, I want to see it again.

05 <u>While</u> you start now, you will miss the school bus.

06 I will deliver newspapers <u>by</u> I'm 60 years old.

07 Finish this by six o'clock, <u>and</u> you will be in trouble.

08 Lock the door, <u>and</u> a burglar will break in.

09 <u>When</u> it stopped raining, the wind is still blowing.

10 You will feel better, <u>though</u> you take these pills.

11 She is not a doctor <u>and</u> a nurse.

12 She didn't paint the wall, <u>so</u> she felt dizzy this morning.

· drugstore 약국   · deliver 배달하다   · trouble 곤란, 어려움   · burglar 도둑   · break in 침입하다   · still 아직도
· blow (바람이) 불다   · pill 알약   · dizzy 어지러운

② 다음 밑줄 친 부문을 바르게 고쳐 쓰세요.

01 Watch the traffic light <u>after</u> you cross the road.   before

02 We will take a break <u>by</u> the manager comes back.

03 Both Jane and Kevin <u>wants</u> to have pizza for lunch.

04 Not only she but also her sisters <u>likes</u> comedy movies.

05 Either Jenny or her sister <u>have to</u> wait for Mr. Smith.

06 Amy doesn't eat meat and fish, <u>so</u> she is a vegetarian.

07 I'd like to eat either spaghetti <u>and</u> pizza.

08 He stayed not at a hotel <u>and</u> at his uncle's when he visited Paris.

09 <u>If</u> his brother is clever, he is very lazy.

10 I as well as Jim <u>is</u> very tired because we stayed up last night.

11 I had a nightmare, <u>because</u> I couldn't sleep well.

12 You will be healthy, <u>unless</u> you cut down on greasy foods.

W O R D S

· traffic light 교통신호, 신호등   · cross 건너다   · manager 관리자, 부장   · vegetarian 채식주의자   · lazy 게으른
· stay up 밤을 새우다   · nightmare 악몽   · cut down 줄이다   · greasy 기름기 있는

❸ 다음 두 문장을 접속사를 이용하여 한 문장으로 쓰세요.

01 Alice is poor. She can't buy a car. (so)

→ Alice is poor _____ so she can't buy a car _____.

02 Amy doesn't like math. Jack doesn't like math, either. (neither)

→ Neither _____.

03 Jessie showed me her purse. She showed me her ID, too. (not only, but also)

→ Jessie showed me _____.

04 He received a perfect score in math. He didn't study hard. (though)

→ _____, he received a perfect score in math.

05 Richard answered the phone. He talked with his mom. (when)

→ Richard answered the phone _____.

06 He is worried about my friends. My mom is worried about my friends. (both)

→ Both _____.

07 They arrived at the airport. The plane took off. (before)

→ They arrived _____.

08 It will not rain tomorrow. We will go to the beach. (if)

→ We will go to the beach _____.

09 My father passed away. I was 13 years old. (when)

→ I was 13 years old _____.

→ _____, when I was 13 years old.

10 Jessie is a baseball player. She is not a golfer. (not, but)

→ Jessie is not _____.

· receive 받다 · perfect 완벽한 · perfect score 만점 · purse 지갑 · ID 신분증 · worry 걱정하다
· take off 이륙하다 · golfer 골프선수 · pass away 돌아가시다, 죽다

④ 다음 영어를 우리말로 쓰세요.

01 If you don't love her, don't marry her.

➡ _____ 그녀를 사랑하지 않는다면 결혼하지 마라._____

02 Don't believe him or you will lose a lot of money.

➡ _____

03 Jake is good at not only painting but also singing.

➡ _____

04 She was neither at her room nor in the garden at that time.

➡ _____

05 Lisa is very busy now, so she can't meet you.

➡ _____

06 Sam entered my room while I was talking on the phone.

➡ _____

07 Though he didn't eat breakfast, he is not hungry now.

➡ _____

08 We will keep trying until we win the championship.

➡ _____

09 Try your best, and your dream will come true.

➡ _____

10 We will give you either money or a gift.

➡ _____

11 In spite of being sick, Jessica went to school today.

➡ _____

12 I will not accept his offer if you don't agree with me.

➡ _____

WORDS

· at that time 그 당시에   · come true 이루다   · accept 받아들이다   · offer 제안   · agree 동의하다

Actual Test

[1-4] 다음 중 빈칸에 알맞은 말을 고르세요.

1

I'm going to prepare dinner _____ you come.

① as   ② so
③ because   ④ though
⑤ before

1
prepare 준비하다

2

She learns English _____ Chinese.

① as well as   ② so
③ because   ④ nor
⑤ but

3

Julie took the pill _____ she had a headache.

① as well as   ② so
③ because   ④ nor
⑤ but

3
pill 알약
headache 두통

4

I will help you, _____ I am busy tomorrow.

① as   ② if
③ because   ④ unless
⑤ but

4
unless ~하지 않으면
if ~한다면
as ~하면서

[5–6] 다음 중 빈칸에 공통으로 들어갈 말을 고르세요.

5

> • Don't talk to him _____ he is angry.
> • It was nine o'clock _____ I finished homework.

① so   ② if
③ though   ④ unless
⑤ when

Note

6

> • I didn't see the bike _____ I was crossing the street.
> • I heard a loud roaring sound _____ I was sleeping,

① because   ② while
③ though   ④ unless
⑤ so

6
cross 건너다
loud 시끄러운
roaring 으르렁거리는

[7–8] 다음 두 문장의 의미가 같도록 빈칸에 알맞은 말을 고르세요.

7

> Though it was raining, we played soccer.
> ➡ _____ the rain, we played soccer.

① As   ② If
③ When   ④ In spite of
⑤ Unless

7
though와 의미가 같은
표현을 알아보세요.

8

> You don't have to do it if you don't want to.
> ➡ You don't have to do it _____ you want to.

① As   ② If
③ When   ④ Despite
⑤ Unless

9 다음 중 밑줄 친 부분이 옳지 <u>않은</u> 것을 고르세요.

① She as well as they <u>get</u> up early.
② Not only he but also I <u>am</u> busy now.
③ Neither he nor you <u>are</u> wrong.
④ Either he or you <u>have</u> to go there.
⑤ Both he and his wife <u>are</u> doctors.

9
상관접속사의 수 일치에
대해 알아보세요.

[10–11] 다음 두 문장을 접속사를 이용한 문장으로 바르게 바꾼 것을 고르세요.

10

> She can speak English. She can speak French, too.

① She can speak neither English nor French.
② She can speak not only English but also French.
③ She can speak either English or French.
④ She can speak not English but French.
⑤ She can speak both English but French.

11

> It was very hot. He didn't turn on the air conditioner.

① As it was very hot, he didn't turn on the air conditioner.
② When it was very hot, he didn't turn on the air conditioner.
③ While it was very hot, he didn't turn on the air conditioner.
④ Though it was very hot, he didn't turn on the air conditioner.
⑤ Unless it was very hot, he didn't turn on the air conditioner.

11
반대되는 결과를 연결하
는 접속사를 알아보세요.
air conditioner
에어컨

12 다음 중 when의 쓰임이 <u>다른</u> 것을 고르세요.

① Don't move <u>when</u> I take a picture.
② <u>When</u> did the accident happen?
③ I wear my rain coat <u>when</u> it rains.
④ <u>When</u> he went to the park, he saw a lot of birds.
⑤ <u>When</u> I go to school, my younger brother takes a shower.

12
의문사와 접속사의 쓰임
을 알아보세요.
happen 발생하다
rain coat 우비

13

> 그와 Kelly는 둘 다 기말고사를 위해 정말 열심히 공부한다.

① Both he and Kelly study really hard for the final exams.
② Either he or Kelly studies really hard for the final exams.
③ Neither he nor Kelly studies really hard for the final exams.
④ Not he but Kelly studies really hard for the final exams.
⑤ Not only he but Kelly study really hard for the final exams.

14

> 그들은 궂은 날씨에도 쇼핑을 갔다.

① They went shopping during the bad weather.
② They went shopping as the bad weather.
③ They went shopping though the bad weather.
④ They went shopping in spite the bad weather.
⑤ They went shopping despite the bad weather.

15 다음 중 빈칸에 들어갈 말로 바르게 짝지어진 것을 고르세요.

> • I had to walk home yesterday _____ I lost my wallet.
> • I had to walk home, _____ I was very tired.

① because - so   ② so - if
③ if - unless   ④ when - as
⑤ as - so

16 다음 빈칸에 알맞은 말을 쓰세요.

> She told me a lie, _____ I was upset.
> 그녀가 내게 거짓말을 해서 나는 화가 났다.

→ _____

Note

13
final exams
기말고사

really 정말로

14
bad weather
궂은 날씨

16
upset 화가 난

17 다음 보기의 말을 이용하여 빈칸에 알맞은 말을 쓰세요.

Note

보기

because	so	if

1) _____ you tell me your secret, I'll tell you mine.

2) I got up late, _____ I went to school by taxi.

3) _____ it was too hot, I went to the beach.

17
secret 비밀
mine 나의 것

18 다음 빈칸에 공통으로 들어갈 말을 쓰세요.

- _____ I got home, he was watching TV.
- I lived in a small town _____ I was younger.

➡ _____

19 다음 두 문장이 의미가 같도록 빈칸에 알맞은 말을 쓰세요.

1) Tom is smart as well as handsome. (not only, but also)
= Tom is _____.

➡ _____

2) If you don't want to go to the park, you can stay home.
= _____ you want to go to the park, you can stay home.

➡ _____

19
A as well as B와 not
only A but also B의
차이점을 알아보세요

20 다음 어법상 <u>어색한</u> 부분을 찾아 바르게 고쳐 쓰세요.

You as well as I am responsible for the accident.

➡ _____

20
responsible
책임 있는
accident 사고

Review Test

❶ 다음 문장을 수동태 문장으로 바꾸세요.　　　　　　　Chapter 4

01 A lot of students helped Jake.

→ _____ Jake was helped by a lot of students. _____

02 She will invite him to the party.

→ _____

03 We found it expensive.

→ _____

04 I brought him to the party.

→ _____

05　Did she lock the door yesterday?

→ _____

06 John gave her some water.

→ _____

07 Jessica is painting the fence.

→ _____

08 Did you take the picture of him?

→ _____

09 They made her happy.

→ _____

10 You should keep your room clean.

→ _____

11 Many children love the movie.

→ _____

12 She didn't write the letter.

→ _____

WORDS

· invite 초대하다　· expensive 비싼　· lock 잠그다　· fence 울타리, 담장　· clean 깨끗한

2 다음 빈칸에 알맞은 말을 쓰세요.   Chapter 4

01   The lobby was crowded ____with____ people.

02   The mountain is always covered _____ snow.

03   He was satisfied _____ my answer.

04   The country is known _____ its festival.

05   That man is known _____ a great singer in Korea.

06   He is worried _____ his family's health.

07   The park is located _____ the center of the city.

3 다음 보기의 전치사를 이용하여 빈칸에 알맞은 말을 쓰세요.   Chapter 5

보기

at	for	among	on	into	without	about

01   I don't drink coffee ____at____ night.

02   She bought some cookies _____ her friends.

03   People began to pour _____ the office.

04   We are waiting for the bus for _____ 10 minutes.

05   I have a job interview _____ Monday.

06   Jennie is the smartest _____ the five girls.

07   We can't move the table _____ your help.

WORDS
· crowd 붐비다   · festival 축제   · locate 위치하다   · pour (사람이) 쇄도하다   · great 위대한   · interview 인터뷰

4 다음 보기의 전치사를 이용하여 빈칸에 알맞은 말을 쓰세요.

Chapter 5

보기

| like | across | with | between | over | to |
| beside | out of | in front of | along | behind |

01 You can see the difference _____between_____ the two paintings.
너는 두 그림의 차이점을 볼 수 있다.

02 I want to be an artist just _____ my uncle.
나는 내 삼촌처럼 예술가가 되고 싶다.

03 He and Tom are lying _____ the pool.
그와 Tom은 수영장 옆에 누워 있다.

04 They are walking _____ the bridge now.
그들은 지금 다리를 건너고 있다.

05 She saw the man jumping _____ the fence.
그녀는 그 남자가 울타리를 뛰어넘는 것을 보았다.

06 I want to buy a house _____ a nice view.
나는 경치가 좋은 집을 사고 싶다.

07 Please take me _____ the hospital.
나를 병원에 데려다 주세요.

08 He likes running _____ the shore.
그는 해변을 따라 뛰는 것을 좋아한다.

09 She took out a few coins _____ her pocket.
그녀는 주머니에서 동전을 몇 개 꺼냈다.

10 There is a big mountain _____ the school.
학교 뒤에 커다란 산이 있다.

11 A few students are standing _____ my father.
몇몇 학생들이 아버지 앞에 서 있다.

12 Who is the man sitting _____ Tom and Jane?
Tom과 Jane 사이에 앉아 있는 남자는 누구니?

WORDS

• artist 예술가   • lying lie[눕다]의 현재분사형   • bridge 다리   • fence 울타리, 담장   • pocket 주머니   • view 경치

5 다음 영어를 우리말로 쓰세요.

01 Either you or Tom has to solve the problem.

→ _____너나 Tom 둘 중 하나는 그 문제를 해결해야 한다._____

02 Both he and I are interested in cooking.

→ _____

03 Neither he nor I can drive a car.

→ _____

04 Not only Korea but also Japan wanted to hold the World Cup.

→ _____

05 She helped Sam though she didn't like him.

→ _____

06 She read a book while she was waiting for a bus.

→ _____

07 As he grew up, he liked reading books.

→ _____

08 The concert was canceled because it was so cold.

→ _____

09 I will wait here until you make your choice.

→ _____

10 While I was studying last night, I listened to the radio.

→ _____

11 You will be late for the concert unless you take a taxi.

→ _____

12 Both Julie and Cindy have been to London.

→ _____

• solve 해결하다 • hold 개최하다 • cancel 취소하다 • choice 선택

6 다음 밑줄 친 부문을 바르게 고쳐 쓰세요.

01 He met his son <u>before</u> ten years' separation.
그는 그의 아들을 10년 이별한 후에 만났다.

after

02 We didn't have lunch, <u>because</u> we are hungry now.
우리는 점심을 먹지 않아서 지금 배가 고프다.

03 Neither Jane nor Ted <u>drink</u> soda at night.
Jane과 Ted는 둘 다 밤에 탄산음료를 마시지 않는다.

04 Let's go out for dinner <u>unless</u> you are not busy.
바쁘지 않으면 저녁식사 하러 나가자.

05 Both Jenny and Tom <u>has to</u> wait a little longer.
Jenny와 Tom은 좀 더 기다려야 한다.

06 <u>When</u> it was snowing, they played soccer.
눈이 내리고 있음에도 그들은 축구를 했다.

07 You will not feel better <u>if</u> you take a rest.
휴식을 하지 않으면 기분이 좋아지지 않을 것이다.

08 Hurry up, <u>and</u> you will be late for the party.
서둘러라, 그렇지 않으면 파티에 늦을 것이다.

09 They are made not in China <u>and</u> in Korea.
그것들은 중국이 아닌 한국에서 만들어졌다.

10 The teacher as well as the students <u>are</u> interested
in Korean history. 학생들뿐만 아니라 선생님도 한국역사에 관심을 가지고 있다.

11 I couldn't sleep well, <u>so</u> I had a headache.
나는 두통 때문에 잠을 잘 자지 못했다.

12 Either you or she <u>have to</u> hand in the report.
너나 그녀 중 하나가 그 보고서를 제출해야 한다.

separation 이별, 분리　•a little longer 좀 더 오래　•history 역사　•headache 두통　•hand in 제출하다

[1-5] 다음 중 빈칸에 알맞은 것을 고르세요.

1

_____ I was in Busan, I met him.

① While   ② Unless
③ Despite   ④ Both
⑤ After

2

I went to the park _____ my family last weekend.

① with   ② to
③ from   ④ of
⑤ at

3

_____ the man and his son are teachers.

① Either   ② Neither
③ Not   ④ Not only
⑤ Both

4

English is _____ all over the world.

① speak   ② speaking
③ to speak   ④ spoken
⑤ spoke

5

She was satisfied _____ the test result.

① at   ② to
③ with   ④ of
⑤ for

6 다음 두 문장을 한 문장으로 고칠 때 빈칸에 알맞은 것을 고르세요.

• I was taking a shower.
• The phone rang.
→ _____ I was taking a shower, the phone rang.

① Why   ② Before
③ While   ④ Because
⑤ Though

[7-8] 다음 중 각 빈칸에 들어갈 말로 바르게 짝지어진 것을 고르세요.

7

• Jogging is good _____ your health.
• The movie starts _____ six.

① at, to   ② at, for
③ at, by   ④ for, to
⑤ for, at

8

• They want me to become a doctor just _____ them.
• You should not drink coffee _____ night.

① at, to   ② like, at
③ at, for   ④ for, by
⑤ like, for

[9–10] 다음 빈칸에 공통으로 들어갈 말로 알맞은 것을 고르세요.

9

> • I go to the dentist _____ my tooth hurts.
> • What do you do _____ you have spare time?

① that   ② when   ③ until
④ unless   ⑤ though

10

> • When are you going to leave _____ France?
> • The chair was made _____ him.

① of   ② at   ③ for
④ to   ⑤ in

11 다음 중 어법상 옳은 문장을 고르세요.

① I stayed in Rome during five days.
② We didn't speak while the meal.
③ I don't usually watch TV in Sundays.
④ The students looked bored while the lesson.
⑤ I fell out of the bed while I was asleep.

12 다음 중 능동태를 수동태로 바르게 바꾼 것을 고르세요.

① Ted broke the window.
  → The window is broken by Ted.
② The boy hit the ball.
  →The ball was hitted by the boy.
③ He directed the movie.
  → The movie was directed by him.
④ They speak English in Canada.
  → English was spoken in Canada by them.
⑤ His parents loves him.
  → He was loved by his parents.

13 다음 밑줄 친 when의 쓰임이 다른 것을 고르세요.

① When is your birthday?
② When did he arrive here?
③ Tell me when to start it.
④ People wear glasses when they can't see well.
⑤ When did you have dinner?

14 다음 밑줄 친 like의 쓰임이 다른 것을 고르세요.

① Ane and I like you.
② Do you like sports?
③ I like to eat spaghetti.
④ What do you like most?
⑤ I love sports like baseball and soccer.

15 다음 중 빈칸에 들어갈 말이 나머지와 다른 것을 고르세요.

① She was pleased _____ the news.
② Sam is satisfied _____ his new car.
③ My aunt is interested _____ the party.
④ The street is covered _____ snow.
⑤ His room is filled _____ books.

16 다음 중 대화의 빈칸에 알맞은 것을 고르세요.

> A: Why does Kevin have to go now?
> B: _____ he is late for the party.

① If   ② When
③ Because   ④ Until
⑤ So

[17-18] 다음 중 보기의 문장을 수동태로 바르게 바꾼 것을 고르세요.

17

Ted bought me the toy.

① I was bought the toy by Ted.
② I was bought for the toy by Ted.
③ The toy is bought for me by Ted.
④ The toy was bought me by Ted.
⑤ The toy was bought for me by Ted.

18

Many people have used computers.

① Computers are used by many people.
② Computers are being used by many people.
③ Computers have been used by many people.
④ Computers were used by many people.
⑤ Computers had been used by many people.

[19-20] 다음 중 어법상 어색한 문장을 고르세요.

19 ① I took a rest for 30 minutes.
② It is very hot in summer.
③ He will stay in Hongkong for a month.
④ She asked me a question during the class.
⑤ Bears sleep for winter.

20 ① Though she had money, she didn't buy the book.
② Although it is expensive, it doesn't look good.
③ I didn't help him though he asked me to.
④ In spite of he is rich, he is not happy.
⑤ If you are kind to others, you will make a lot of friends.

[21-22] 다음 중 우리말을 영어로 바르게 쓴 것을 고르세요.

21

Wilson은 농구뿐만 아니라 배구도 잘한다.

① Wilson is good not only at basketball but also at volleyball.
② Wilson is either good at basketball or also at volleyball.
③ Wilson is neither good at basketball nor also at volleyball.
④ Wilson is good both at basketball or at volleyball.
⑤ Wilson is not good at basketball but at volleyball.

22

우리가 산을 올라가는 동안 날씨가 더욱 추워졌다.

① Because we climbed the mountain, the weather became colder.
② So we climbed the mountain, the weather became colder.
③ Though we climbed the mountain, the weather became colder.
④ If we climbed the mountain, the weather became colder.
⑤ While we were climbing the mountain, the weather became colder.

23 다음 빈칸에 들어갈 알맞은 전치사를 쓰세요.

> A: Sandy, what did you do _____ the vacation ?
> B: I learned English _____ two weeks.

➡ _____

24 다음 빈칸에 알맞은 전치사를 쓰세요.

1) John passed the test _____ Monday.

2) Jack lives _____ New York City.

3) It is very hot _____ July in Korea.

4) The school begins _____ 9 o'clock.

[25-26] 다음 문장을 수동태로 바꾸어 쓰세요.

25

> My mom is making a cheese cake.

➡ _____

26

> They showed him their pictures.

➡ _____

27 다음 영어를 우리말로 쓰세요.

> Turn right at the corner, and you'll find the bookstore.

➡ _____

28 다음 두 문장의 의미가 같도록 빈칸에 알맞은 말을 쓰세요.

> You are lazy, and he is lazy, too.
> → _____ you and he are lazy.

➡ _____

29

> 친구와 나는 TV를 보고 있지 않다.
> → _____ my friend _____ I am watching TV.

➡ _____

30

> Jessica는 디자이너일 뿐만 아니라 작가이다.
> Jessica is a writer _____ a designer.

➡ _____

17 다음 중 보기의 밑줄 친 to부정사와 용법이 같은 것을 고르시오.

I have a lot of work to do now.

① I am glad to meet you.
② I am happy to be with her.
③ She is very kind to help me.
④ I have nothing to eat now.
⑤ He was kind to give me this book.

18 다음 중 우리말을 영어로 바르게 옮긴 것을 고르시오.

그는 노는 것을 멈추고 일하기로 결심했다.

① He stopped playing and decided working.
② He stopped playing and decided to work
③ He stopped to play and decided working.
④ He stopped to play and decided to work.
⑤ He stopped play and decided working.

19 다음 중 밑줄 친 It(it)의 쓰임이 나머지와 다른 것을 고르시오.

① It is hard to park this car.
② It is safe to wear a helmet.
③ Is it easy to ride a bike?
④ It is very important thing to me.
⑤ It is dangerous to play in the street.

23

They call this the garden city.

→ This _____ _____ the garden city by them.

↓
_____

24 주어진 단어를 이용하여 빈칸에 알맞은 말을 쓰시오.

He saw a man _____ delicious cakes. (bake)

→ 그는 맛있는 케이크를 굽고 있는 남자를 보았다.

↓
_____

25 다음 대화의 빈칸에 공통으로 들어갈 단어를 쓰시오. 5점

A: Why are you studying English _____ hard?

B: I have a test tomorrow, _____ I have to study hard.

↓
_____

④ out ⑤ with

5

> All my friends are tall, _____ I am not.

① but ② and ③ so
④ also ⑤ then

6 다음 두 문장에 공통으로 들어갈 단어를 고르시오.

> • I enjoyed _____ the piano yesterday.
> • I finished _____ soccer this morning.

① to play ② playing ③ taking
④ to take ⑤ took

[7-8] 다음 중 빈칸에 들어갈 말이 바르게 짝지어진 것을 고르시오.

7
> • I'm looking forward to _____ the movie.
> • I want _____ something to eat before the movie.

① see – get ② see – to get
③ seeing – to get ④ see – getting
⑤ seeing – getting

---

⑤ were painted by his

11 다음 중 밑줄 친 like의 쓰임이 <u>다른</u> 것을 고르시오.

① I <u>like</u> fruits.
② Do you <u>like</u> baseball?
③ I don't <u>like</u> to do that again.
④ What do you <u>like</u> the most?
⑤ It smells <u>like</u> a garbage can.

[12-13] 다음 중 어법상 <u>어색한</u> 문장을 고르시오.

12 ① This house was build in 1920.
② The house was destroyed by the storm.
③ More than 1,000 people's lives were saved.
④ The city was completely forgotten.
⑤ Everything was buried except the roofs of some buildings.

13 ① Turning to the right, you'll see the store.
② Having no time, I can't visit my parents.
③ Arrived at the airport, I called my parents.
④ Being interested in movies, he wants to be a director.
⑤ Finishing my homework, I went out to meet my friends.

Grammar Mentor
Joy Plus 3

실전모의고사 1회

- 3점: 5문항
- 4점: 15문항
- 5점: 5문항

이름 :

점수 :

[1~5] 다음 중 빈칸에 알맞은 말을 고르시오.

1
3점

I have a lot of things _____.

① do ② doing ③ to do
④ to doing ⑤ to be

2
3점

I was _____ at the game.

① excited ② exciting ③ excite
④ be excited ⑤ to excite

3
3점

English _____ almost all over the world.

① is spoken ② spoke ③ is speaking
④ speak ⑤ has been speaking

4

The valleys were filled

8

- We play basketball _____ Sunday.
- The cemetery is _____ front of the church.

① in – by ② on – for ③ in – in
④ on – in ⑤ for – on

9 다음 중 빈칸에 올 수 <u>없는</u> 것을 고르시오.

Jane _____ singing a song in front of others.

① minds ② likes ③ hopes
④ gave up ⑤ remembers

10 다음 중 보기의 문장을 수동태로 바르게 표현한 것을 고르시오.

He painted that picture.
→ That picture

14 다음 중 두 문장의 의미가 같을 때 빈칸에 알맞은 말을 고르시오.

Living next door, I never see him.

= _____ I live next door, I never see him.

① Though
② When
③ As
④ While
⑤ Because

15 다음 중 보기의 밑줄 친 to부정사와 용법이 같은 것을 고르시오.

She is studying hard <u>to pass</u> the exam.

① They have <u>to leave</u> at 5.
② He wants something <u>to drink</u>.
③ <u>To pass</u> the exam is difficult.
④ I am very happy <u>to see</u> you again.
⑤ She went to China <u>to learn</u> Chinese.

16 다음 두 문장을 바르게 연결한 것을 고르시오.

· She cleaned the oven.
· She wanted to bake some cookies.

① She cleaned the oven bake some cookies.
② She baked some cookies to clean the oven.
③ She baked some cookies cleaning the oven.

20 다음 중 능동태를 수동태로 바꾼 것 중 옳은 것을 고르시오.

① Tom broke the window.
→ The window is broken by Tom.

② The boy hit the ball.
→ The ball was hitted by the boy.

③ She painted the picture.
→ The picture was painted by her.

④ They speak French in France.
→ French was spoken in France of them.

⑤ His parents loves him.
→ He was loved by his parents.

[21-23] 다음 두 문장의 의미가 같도록 빈칸에 알맞은 말을 쓰시오.

21

When he saw me, he called my name.

= _____ me, he called my name.

↓

22

그는 기차가 올 때까지 잡지를 읽었다.

= He read a magazine _____ the train came.

17

③ The movie was boring.

④ The news was surprising.

⑤ I was bored with the game.

① Hangeul was invented by King Sejong.

② The show will be held next year.

③ *Hamlet* was written by Shakespeare.

④ Jane is very surprising at the news.

⑤ English is spoken all over the world.

18 다음 중 밑줄 친 부분이 어법상 잘못된 것을 고르시오.

기출

① Many people ② were killed or ③ hurted

④ in traffic accidents ⑤ last year.

19 다음 중 두 문장의 의미가 같을 때 빈칸에 알맞은 말을 쓰시오.

As I live in a big city, I can meet a lot of people.

= _____ in a big city, I can meet a lot of people.

① To live   ② Has been living

③ Lived   ④ Living

⑤ Being live

23 주어진 단어를 이용하여 빈칸에 알맞은 말을 쓰시오.

5점

He gave up _____ last week. (smoke)

↓

24 다음 영어를 우리말로 쓰시오.

5점

It is dangerous to ride a bike at night.

↓

25 주어진 문장을 가주어 it을 사용하여 다시 쓰세요.

5점

To have good friends is important.

↓

④ finished ⑤ gave up

10 다음 중 빈칸에 들어갈 알맞은 말을 고르시오.

> This magazine is so much fun to read. I cannot help _____ it.

① read ② reading ③ to read
④ for reading ⑤ to reading

11 기출 다음 중 밑줄 친 부분과 바꾸어 쓸 수 있는 말을 고르시오.

> The topic was <u>keeping</u> pets at home.

① keep ② keeps ③ kept
④ to keep ⑤ have kept

12 다음 두 문장이 의미가 같도록 빈칸에 알맞은 말을 고르시오.

> It's so heavy, _____ I can't move it alone.
> = Because it's so heavy, I can't move it alone.

① since ② when ③ as
④ however ⑤ so

4 3점

> _____ pictures is interesting.

① Takes ② Taking ③ To taking
④ To taken ⑤ Taken

5 3점

> _____ I was a child, I often visited my grandparents.

① Unless ② If ③ During
④ When ⑤ For

6 다음 빈칸에 공통으로 들어갈 말을 고르세요.

> • The man kept _____ saying "I'm not a lawyer."
> • I've spent all my money _____ my journey.

① in ② on ③ with
④ to ⑤ for

2-1

Grammar Mentor Joy Plus 3

실전모의고사 2회

- 3점: 5문항
- 4점: 15문항
- 5점: 5문항

이름 :　　　　점수 :

[1-5] 다음 중 빈칸에 알맞은 말을 고르시오.

1 3점

I feel like __________ a song.

① sings ② sing ③ to singing
④ to sing ⑤ singing

2 3점

He went to America ________ English.

① learned ② to learn ③ to learning
④ learn ⑤ learning

3 3점

The girl said to him ________ a smile.

① with ② to ③ between

[7-8] 다음 중 빈칸에 들어갈 말이 바르게 짝지어진 것을 고르시오.

7

A: What do you do ________ Saturdays.
B: I often go out ________ my family.

① on - with ② on - for ③ at - with
④ at - for ⑤ of - for

8

- The statue of Liberty was _______ by a Frenchman.
- The girl _______ a hamburger is my sister.

① made - eating ② making - eating
③ make - ate ④ making - eaten
⑤ made - to eat

9 다음 중 빈칸에 알맞지 않은 것을 고르시오.

[13-14] 다음 밑줄 친 부분의 쓰임이 나머지와 다른 것을 고르시오.

13
① Learning a foreign language is not easy.
② I like playing the guitar.
③ Did you enjoy swimming?
④ They are having dinner in the restaurant.
⑤ Even washing the dishes is fun.

14
① I went home to take a rest.
② She wanted to bake some cookies.
③ She went to the park to see animals.
④ Jack went to her house to fix the computer.
⑤ I am going to the market to buy some apples.

15 다음 밑줄 친 부분과 용법이 같은 것을 고르시오.

Think carefully before you decide to buy a pet.

① James has a lot of work to do.
② He gets up early to study.
③ Susan was happy to hear the news.
④ He grew up to be a doctor.
⑤ I like to cook.

[16-17] 다음 중에서 어법상 어색한 문장을 고르시오.

20 다음 중 빈칸에 들어갈 말이 바르게 짝지어진 것을 고르시오.

• I will stay there ＿＿＿＿ two weeks.
• My uncle will be here ＿＿＿＿ vacation.

① on – for
② at – on
③ for – at
④ during – for
⑤ for – during

21 다음 빈칸에 알맞은 분사구문을 쓰시오.

5점

If you turn to the left, you can find it.
= ＿＿＿＿＿＿, you can find it.

↓

22 다음 빈칸에 알맞은 접속사를 쓰시오.

5점

＿＿＿＿＿＿ you tell me the truth, I'll forgive

① I want <u>to be</u> a doctor.

② I have nothing <u>to do</u> now.

③ My dream is <u>to go</u> to America.

④ I went out <u>to meet</u> my friend.

⑤ I like <u>to play</u> computer games.

17 다음 중 어법상 어색한 것을 고르시오.

① I hope meeting him again.

② I finished working on the farm.

③ Can you give up smoking for good?

④ She enjoys watching baseball games.

⑤ Would you mind opening the window?

18 다음 중 보기의 수동태를 능동태로 바르게 바꾼 것을 고르시오.

> The house has been cleaned by Tom.

① Tom is cleaned the house.

② Tom has cleaned the house.

③ By Tom the house has cleaned.

④ Tom has been cleaned the house.

⑤ The house was been cleaned by Tom.

---

22 다음 단어들을 바르게 배열하여 문장을 만드시오.

5점

> 나는 그 책을 읽지 않을 수 없다.
> (cannot, reading, help, I , it)

23 다음 영어를 우리말로 쓰시오.

5점

> Being tired, I went to bed early.

24 다음 빈칸에 들어갈 전치사를 쓰시오.

5점

> Sam은 지칠 때까지 계속해서 달렸다.
>
> ➡ Sam ran on and on _____ he was
> tired out.

25 두 문장의 의미가 같도록 빈칸에 알맞은 말을 쓰시오.

5점

> To catch the ball is difficult.
>
> ➡ _____ is difficult to catch the ball.

3-2

• _____ you give this ball to Jack, he will be happy.

① If　　② Must　　③ Why
④ Shall　　⑤ May

11 다음 중 두 문장이 의미가 같도록 빈칸에 알맞은 말을 고르시오.

While he watched TV, he had dinner.
= _____ TV, he had dinner.

① Watch　　② Watched　　③ Watching
④ Being watch　　⑤ To watch

12 다음 중 우리말을 영어로 바르게 쓴 것을 고르시오.

도서관에는 읽을 책들이 많이 있습니다.

① There are lots of books read in the library.
② There are lots of books to read in the library.
③ There are much books to reading in the library.
④ There are much books for reading in the library.
⑤ There are much book to read in the library.

---

① find　　② to find　　③ found
④ to be found　　⑤ finding

5 3점

You look _____. What's wrong?

① tire　　② to tire　　③ tired
④ to be tired　　⑤ tiring

[6-7] 다음 중 빈칸에 들어갈 말로 바르게 짝지어진 것을 고르시오.

6
• Milk is good _____ your health.
• You should come home _____ six.

① at, to　　② for, by　　③ in, by
④ at, for　　⑤ for, in

7
• Playing computer games is _____.
• The researchers were _____ at the discovery.

① exciting, surprising
② excited, surprised
③ exciting, being surprising
④ excited, surprised
⑤ exciting, surprised

Grammar Mentor
Joy Plus 3

실전모의고사 3회

- 3점: 5문항
- 4점: 15문항
- 5점: 5문항

이름 :

점수 :

[1-5] 다음 중 빈칸에 알맞은 말을 고르시오.

1 3점

She usually goes to bed _____ eleven thirty.

① at   ② for   ③ to
④ on   ⑤ over

2 3점

It is important _____ the air clean.

① keep   ② keeping   ③ to keep
④ to keeping   ⑤ to be kept

3 3점

I dislike _____ my homework.

① do   ② doing   ③ did
④ to doing   ⑤ to be done

4 3점

Fast-food restaurants can be easily

8 다음 중 대화의 빈칸에 올 수 없는 것을 고르시오.

A: I tried to _____ doing the work, but it was difficult.
B: Oh, really? I didn't know that.

① finish   ② enjoy   ③ keep
④ continue   ⑤ promise

9 다음 중 밑줄 친 부분과 바꾸어 쓸 수 있는 말을 고르시오.

My hobby is collecting stamps.

① collect   ② collects   ③ collected
④ to collect   ⑤ have collected

10 다음 중 문장의 빈칸에 공통으로 들어갈 단어를 고르시오.

[13-14] 다음 중 밑줄 친 부분의 쓰임이 다른 것을 고르시오.

13
① Seeing is believing.
② Playing baseball is my life.
③ My hobby is playing computer games.
④ Every Sunday Jane enjoys riding a horse.
⑤ Look at the dancing girls on the stage.

14
① He is sleeping in the living room.
② Keeping the traffic rules is important.
③ His nickname is a flying pig.
④ I know the man swimming over there.
⑤ I'm going to church now.

[15-16] 다음 중 밑줄 친 부분과 쓰임이 같은 것을 고르시오.

15
What do you do when you have spare time?

① When is your birthday?
② When did you arrive there?
③ Tell me when to start it.
④ People wear glasses when they can't see well.
⑤ When did you finish your homework?

19 다음 두 문장을 하나로 연결할 때 빈칸에 알맞은 말을 고르시오.

My mother left the house. Then my aunt came to see her.

→ _____ my mother left the house, my aunt came to see her.

① Because   ② After   ③ Before
④ Until   ⑤ That

20 다음 두 문장을 한 문장으로 바르게 연결한 것을 고르시오.

• The boy is my cousin.
• He is standing near the door.

① The boy standing near the door is my cousin.
② My cousin standing is near door.
③ The boy is standing near the door is my cousin.
④ My cousin is standing near the door is the boy.
⑤ The boy is my cousin is standing near the door.

21 다음 빈칸에 공통으로 들어갈 접속사를 쓰시오.

5점

• Cathy always listens to music _____ she reads a book.
• I go to the dentist _____ my tooth hurts.

Longman

GRAMMAR
MENTOR
JOY

롱맨
그래머
멘토
조이
시리즈

최신개정판
400만부 돌파
롱맨 JOY
시리즈

Unit 02. to부정사의 형용사적 용법

Warm up

01 to help
02 something
03 to visit
04 to write on
05 with
06 in
07 something to tell
08 to study
09 to drink
10 to go
11 to learn
12 to remember
13 to do
14 to read
15 to help

Start up

❶ 01 초대해야 할 사람들
02 방문할 많은 박물관들
03 나를 도와줄 누군가
04 돌봐야 할 아기들
05 앉을 의자
06 너에게 말할 무언가
07 내 컴퓨터를 고쳐야 할[고칠] 누군가
08 해야 할 많은 일
09 영어를 배울 기회
10 차를 살 돈
11 살 집
12 얘기할 친구
13 캐나다를 방문할 계획
14 외국어를 배우는 가장 좋은 방법
15 읽을 잡지들

❷ 01 먹을 무언가
02 게임을 이길 기회
03 의사가 되려는 꿈
04 그녀에 대해 할 말이 없음
05 청소해야 할 방
06 너에게 줄 무엇
07 지켜야 할 약속
08 오늘 밤 입을 옷
09 도서관에 가는 가장 빠른 길[방법]
10 함께 놀 친구
11 세탁해야 할 옷
12 앉을 벤치
13 쓸 종이 한 장
14 오늘 해야 할 숙제
15 저녁식사 후 마실 물

Check up & Writing

❶ 01 to read
02 nothing to drink
03 to live in
04 to lose
05 to write with
06 to visit
07 to wear
08 to show
09 to help
10 to play with
11 to buy
12 anything to ask

❷ 01 something to drink
02 a car to sell
03 nothing to wear now
04 person to visit my house
05 paper to write on
06 place to live in
07 way to save water
08 to understand me
09 a lot of things to buy
10 money to buy a computer
11 something to eat
12 books to read in the library

Unit 03. to부정사의 부사적 용법

Warm up

01 to see
02 to pass
03 pleased
04 difficult
05 to fix
06 to learn
07 sad
08 lose
09 to win
10 be
11 to listen
12 understand

Start up

❶ 01 a
02 a
03 c
04 b
05 b
06 a
07 c
08 b
09 c
10 b
11 a
12 b
13 a
14 a
15 c

[해석]

01 Ben은 판다를 보기 위해 동물원에 갔다.
02 그녀는 기차를 타기 위해 일찍 일어났다.
03 영어는 배우기 어렵다.
04 Jessie는 영화배우를 만나서 기뻤다.
05 그녀는 시험에 떨어져서 실망했다.
06 우리는 책을 읽기 위해 도서관에 갔다.
07 이 상자는 옮기기에 너무 무겁다.
08 그는 게임에 져서 슬퍼했다.
09 이 책은 이해하기에 어렵다.
10 그녀는 그 소식을 듣고 놀랐다.
11 그들은 나를 만나기 위해 이곳에 왔다.
12 창문을 깨서 미안하다.
13 그는 신발을 사기 위해 쇼핑몰에 갔다.
14 그녀는 살을 빼기 위해 저녁을 먹지 않았다.
15 그 물은 마시기에 안전하지 않다.

❷ 01 a 02 a 03 b

❷ 01 a   02 a   03 b
04 c   05 a   06 b
07 a   08 b   09 a
10 a   11 b   12 c
13 b   14 a   15 b

[해석]

01 그들은 고기를 사기 위해 시장에 갔다.
02 나는 영어를 배우러 캐나다에 갈 것이다.
03 그녀는 내일 소풍을 가서 신나 있다.
04 그 자동차는 구입하기에 너무 비싸다.
05 그는 나무들을 보기 위해 창문을 열었다.
06 그녀는 한국문화를 배우게 되어서 행복했다.
07 그는 야구경기를 보기 위해 TV를 켰다.
08 Tom은 선물을 받아서 기뻤다.
09 나는 자동차를 사기 위해 돈을 모을 것이다.
10 그는 케이크를 만들기 위해 밀가루를 샀다.
11 Jenny는 노숙자들을 보고 슬펐다.
12 이 소설은 이해하기에 쉽지 않다.
13 그는 직업을 잃어 실망했다.
14 Jackson은 그녀를 마중하려고 역에 갔다.
15 나는 파티에서 James를 만나 놀랐다.

Check up & Writing

❶ 01 to buy a dress   02 to wash dishes
03 to buy some fruits
04 to ask about the field trip
05 to receive a gift from her dad
06 to participate in the opening ceremony
07 to drive   08 to get a job
09 to sleep   10 to hear about the loss

❷ 01 to take pictures
02 to practice the violin
03 not difficult to learn
04 to avoid a traffic jam
05 to get a new smartphone
06 happy to work with you
07 to be late for school
08 to buy a concert ticket
09 an ax to cut the trees
10 to meet him on the street
11 not easy to solve
12 sad to put on weight

Unit 04. to부정사를 이용한 표현

Warm up

01 rich enough 02 to   03 too
04 can't   05 can   06 too
07 enough   08 can't   09 destroy
10 It   11 too   12 can

Start up

❶ 01 so, can't   02 so, can
03 so, can   04 too
05 so, can't   06 enough, watch
07 It, to   08 To, dangerous
09 too, to   10 It, to
11 hungry, can't 12 so, can

[해석]

01 나는 책을 읽기에 너무 졸리다.
02 그 소년은 질문에 답할 만큼 충분히 영리하다.
03 내 형은 그 박스를 움직일 만큼 충분히 힘이 세다.
04 Jack은 그 전화를 받을 수 없을 만큼 바빴다.
05 나는 너무 피곤해서 더 이상 걸을 수 없다.
06 Kevin은 나이가 들어서 그 영화를 볼 수 있다.
07 TV로 야구게임을 보는 것은 흥미롭다.
08 빗속에서 자전거를 타는 것은 위험하다.
09 그녀는 너무 슬퍼서 그 사고에 대해 생각할 수 없었다.
10 문을 잠그는 것은 간단하다.
11 그들은 너무 배고파서 더 이상 공부할 수 없다.
12 내 여동생은 그것을 할 만큼 충분히 영리하다.

❷ 01 strong, can   02 enough, catch
03 short, can't   04 too, to
05 enough   06 It, to watch
07 so, can't   08 It, to swim
09 so, that, could 10 so, could
11 so, couldn't   12 good, to cure

[해석]

10 그 소년은 충분히 강해서 그 바위를 들 수 있었다.
11 그 개는 너무 무서워서 도망갈 수 없었다.
12 그 약초는 그를 치료할 만큼 훌륭했다.

Check up & Writing

❶ 01 to　　　　　02 too, to
03 enough to　　04 so, can
05 so, that, can't　06 It, to
07 too, to　　　08 too, to
09 so, couldn't　10 too, to
11 enough to　　12 too, to

❷ 01 so tired that I can't stand up
02 too bitter to drink
03 enough to beat any competitors
04 too heavy to move
05 too dark to play outside
06 beautiful enough to live in
07 so fat that it can't catch mice
08 so lucky that I could
09 impossible to change the plan
10 not easy to make cookies
11 so weak that she can't walk
12 healthy enough to live

Level up

❶ 01 그는 신문을 읽기 위해 안경을 쓰고 있다.
02 나는 결혼식에 초대할 친구가 몇 명 있다.
03 우리는 점심식사로 피자를 먹기를 바란다.
04 나의 계획은 런던에서 3일 동안 머무는 것이다.
05 그들은 많은 돌고래들을 보고서 흥분했다.
06 그의 그림들은 이해하기가 어렵다.
07 그들은 고향에 돌아가게 되어서 기뻤다.
08 너는 바다에서 수영하는 법을 아니?
09 나는 오늘 할 일이 없다.
10 엄마는 버스를 타기 위해 정류장으로 뛰어가셨다.
11 이 침대는 잠자기에 너무 작다.
12 내 남동생은 너무 아파서 학교에 갈 수 없다.

❷ 01 그들은 해야 할 일이 많다.
02 그녀는 친구를 만나기 위해 카페에 갔다.
03 나는 이 그림을 어디에 걸어야 할지 결정하지 못했다.
04 Sam은 아이스크림을 사기 위해 편의점에 들렀다.
05 나는 내 고양이를 돌봐줄 누군가가 필요하다.
06 Jack은 커피를 마시기에는 너무 어리다. / 너무 어려서 커피를 마실 수 없다.
07 나는 읽을 것이 아무것도 필요하지 않다.
08 첫 기차를 타는 것은 불가능하다.

09 너의 목소리를 듣게 되어 기쁘다.
10 진실을 말하는 것은 중요하다.
11 그는 한국을 떠나게 되어서 슬펐다.
12 나는 파티에 초대하기 위해 그에게 전화했다.

❸ 01 to play with　02 to trust
03 old enough　　04 how to
05 to drink　　　06 to play
07 too old　　　08 to work
09 to live in　　10 to understand
11 to put　　　12 to accept

❹ 01 부사적 용법, 너를 만나게 되어서 기쁘다.
02 부사적 용법, 그는 1등을 하게 되어서 기뻤다.
03 명사적 용법, 내 꿈은 영화감독이 되는 것이다.
04 부사적 용법, Joe는 농구를 하기 위해 체육관에 갈 것이다.
05 부사적 용법, 그녀는 학교에 지각하지 않기 위해 지하철을 탈 것이다.
06 부사적 용법, Jane은 시험에 떨어져서 실망했다.
07 형용사적 용법, 그는 배우가 될 기회를 갖지 못했다.
08 명사적 용법, 그들은 인터넷을 어떻게 이용해야 할지 모른다.
09 부사적 용법, Tylor는 돈을 잃어버려 화가 났다.
10 명사적 용법, 졸업 후 무엇을 해야 할지 모르겠다.
11 부사적 용법, 그는 책을 읽기 위해 등을 켰다.
12 형용사적 용법, 나를 도와줄 사람이 있나요?

Actual Test

01 ④　　02 ③　　03 ①　　04 ⑤　　05 ③
06 ④　　07 ⑤　　08 ①　　09 ④　　10 ④
11 ④　　12 ⑤　　13 ②　　14 ③
15 거리에서 노는 것은 매우 위험하다. 16 to live in
17 to play computer games　18 where to go
19 on　　20 too, to

[해석 및 해설]
01 *finish는 목적어로 동명사를 취한다.
02 *it - 가주어, to부정사 - 진주어
03 *write with ~을 가지고 쓰다
04 외국어를 배우는 것은 어렵다.
　① 대명사　　　② 비인칭주어 it　　③ 대명사
　④ 비인칭주어 it　　⑤ 가주어
05 서울에는 방문할 곳이 많다.

① 명사적 용법: 목적어 ② 부사적 용법: 감정의 원인
③ 형용사적 용법   ④ 명사적 용법: 주어
⑤ 부사적 용법: 목적

06 나는 자원봉사를 하기 위해 병원에 갔다.
① 형용사적 용법   ② 명사적 용법: 보어
③ 명사적 용법: 주어   ④ 부사적 용법: 목적
⑤ 부사적 용법: 감정의 원인

07 *⑤는 to부정사의 부사적 용법의 원인이고 나머지는 목적이다.

08 ① 부사적 용법, 그녀는 집에 휴식하기 위해 왔다.
② 형용사적 용법, 나는 낭비할 시간이 없다.
③ 형용사적 용법, 나는 읽을 책이 많다.
④ 형용사적 용법, 나는 나를 도와줄 누군가가 필요하다.
⑤ 형용사적 용법, 그들은 그녀를 만날 기회가 있었다.

09 *④ where 대신 방법을 의미하는 how가 와야 한다.

10 *in order to ~하기 위해서

11 *can 대신 can't가 와야 한다.
*「too+형용사/부사+to부정사」는 「so+형용사/부사 that 주어+can't[couldn't]」으로 바꿔 쓸 수 있고, '너무 ~해서, …할 수 없다'의 의미이며, 「형용사/부사+enough to +동사원형」은 「so+형용사/부사 that 주어+can[could]」으로 바꿔 쓸 수 있으며, '매우 ~해서, …할 수 있다'의 의미이다.

12 ① 명사적 용법   ② 명사적 용법
③ 부사적 용법   ④ 명사적 용법
⑤ 형용사적 용법

13 *「too+형용사/부사+to부정사」는 「so+형용사/부사 that 주어+can't[couldn't]」으로 바꿔 쓸 수 있다.

14 *「so+형용사/부사 that 주어+can[could]」은 「형용사/부사+enough to+동사원형」으로 바꿔 쓸 수 있다.

16 그녀는 거주할 커다란 집이 있다.

Chapter 02. 동명사

Unit 01. 동명사의 역할

Warm up

01 Taking   02 reading   03 selling
04 closing   05 to accept   06 fixing
07 riding   08 to bake   09 speaking
10 teaching   11 becoming   12 drinking
13 to buy   14 smoking   15 eating

[해석 및 해설]

01 산책은 건강에 좋다.

02 너 만화책 다 읽었니?

03 나의 직업을 집을 파는 것이다.

04 창문을 닫아도 될까요?

05 우리는 그의 제안을 받아드리기로 했다.
*동사 decide는 to부정사를 목적어로 취한다.

06 그들은 컴퓨터 고치는 것을 연습했다.

07 말 타는 것이 재미있었니?

08 그녀는 그들을 위해 케이크를 굽는 것을 원한다.
*동사 want는 to부정사를 목적어로 취한다.

09 Sam은 영어로 말을 잘한다.

10 나는 아이들을 가르치는 것에 관심이 있다.

11 그의 목표는 유명한 골프선수가 되는 것이다.

12 Jessica는 우유 마시는 것을 중단했었다.

13 아버지는 내게 컴퓨터를 사주시겠다고 약속했다.
*동사 promise는 to부정사를 목적어로 취한다.

14 그는 작년에 담배 끊었다.

15 점심식사로 햄버거 먹는 거 어때?

Start up

❶ 01 보어   02 목적어   03 보어
04 목적어   05 목적어   06 목적어
07 보어   08 목적어   09 주어
10 목적어   11 주어   12 목적어
13 주어   14 목적어   15 보어

[해석]

01 나의 꿈은 파리에서 사는 것이다.

02 Susan은 아름답게 노래하는 것으로 유명하다.

03 나의 엄마의 취미는 정원 가꾸기이다.

04 그녀는 엄마가 올 때까지 계속 울었다.

05 그는 숙제하는 것을 마쳤다.

06 그는 쿠키 만드는 것을 잘한다.

07 나의 직업은 책을 파는 것이다.

08 나는 너를 잃는 것이 두렵다.

09 사진을 찍는 것은 매우 재미있다.

10 Tony는 한국에서 운전하는 것을 걱정한다.

11 아이들을 집에서 가르치는 것은 이점이 많다.

12 그녀는 다른 사람들 앞에서 노래하는 것을 포기했다.

13 애완동물을 기르는 것은 좋은 일이다.

14 나는 컴퓨터 게임을 하는 것을 좋아한다.

15 나의 계획은 기차로 여행하는 것이다.

❷ 01 목적어 　 02 목적어 　 03 주어

04 목적어 　 05 목적어 　 06 주어

07 목적어 　 08 보어 　 09 주어

10 주어 　 11 보어 　 12 목적어

13 목적어 　 14 목적어 　 15 주어

[해석]

01 나에게 컴퓨터를 사주셔서 감사합니다.

02 그는 울타리 페인트칠 하는 것을 끝냈다.

03 매일 일기를 쓰는 것은 쉽지 않다.

04 그들은 패스트푸드 먹는 것을 멈출 것이다.

05 그녀는 간호사가 된 것을 자랑스러워 한다.

06 낚시를 가는 것이 나의 아버지의 취미이다.

07 그들은 나를 계속 기다렸다.

08 나의 꿈은 해외에서 공부하는 것이다.

09 아이들을 돌보는 것은 매우 어렵다.

10 강에서 수영하는 것은 위험하다.

11 이번 일요일 나의 계획은 영화를 보는 것이다.

12 금주를 하려고 노력하고 있습니까?

13 그들은 서로 논쟁하는 것을 싫어한다.

14 너는 그를 만나는 것을 영원히 피할 수 없다.

15 롤러코스터를 타는 것은 흥미롭다.

Check up & Writing

❶ 01 playing 　 02 Biting 　 03 protecting

04 Telling 　 05 eating 　 06 selling

07 walking 　 08 becoming 　 09 writing

10 watching 　 11 Crossing 　 12 singing

❷ 01 listening to pop music

02 good at taking pictures

03 teaching history to children

04 Traveling around the world

05 for being late

06 than keeping them

07 mind turning down the radio

08 eating out with him tonight

09 kept running for two hours

10 practiced dancing together

11 drinking coffee every day

12 cleaning her room before

Unit 02. 동명사를 이용한 표현

Warm up

01 preparing 　 02 getting 　 03 playing

04 to attend 　 05 finding 　 06 to leave

07 laughing 　 08 swimming 　 09 eating

10 drinking 　 11 playing 　 12 to help

Start up

❶ 01 practicing 　 02 denying 　 03 finishing

04 to answer 　 05 fixing 　 06 reading

07 shouting 　 08 fishing 　 09 buying

10 talking 　 11 going 　 12 living

❷ 01 doing 　 02 getting 　 03 cooking

04 hearing 　 05 fishing 　 06 to become

07 playing 　 08 watching 　 09 taking

10 wearing 　 11 dancing 　 12 to take

Check up & Writing

❶ 01 drinking 　 　 02 sleeping

03 cleaning 　 　 04 skiing

05 talking 　 　 06 thinking

07 arriving 　 　 08 traveling

09 speaking 　 　 10 inviting

11 fixing 　 　 12 getting up

13 smoke 　 　 14 running

15 answering

[해석]

01 나는 차가운 물을 마시고 싶다.

02 그녀는 밤에 잠을 자는 데 어려움을 겪는다.

03 너는 방 청소하느라 바쁘니?

04 그들은 스키 타러 갈 계획을 하고 있다.

05 그것에 대해 말해야 소용없다.

06 나는 그 사고에 대해 생각하지 않을 수 없다.

07 한국에 도착하자마자 그들은 박물관에 갔다.

08 Annie는 캐나다로 여행 가는 것을 고대하고 있다.

09 그들은 프랑스어를 매우 잘한다.

10 Jessie를 파티에 초대하는 것 어때?

11 그녀는 컴퓨터를 수리하는 데 많은 돈을 썼다.

12 Sam은 일찍 일어나는 것에 익숙하다.

13 삼촌은 예전에는 담배를 피웠지만 지난해 끊었다.

14 그녀는 그 방에서 뛰쳐나오지 않을 수 없었다.

15 그녀는 전화 받느라 바빴다.

❷ 01 How about going
　02 look forward to meeting
　03 am used to sleeping
　04 worth learning　　05 On finishing
　06 busy helping　　07 feel like eating
　08 is good at singing
　09 couldn't help crying
　10 trouble remembering
　11 It is no use fixing　12 spent, buying

Unit 03. 동사+동명사 / 동사+to부정사

Warm up

01 to teach, teaching　02 to return
03 to drink　　04 to learn, learning
05 meeting　　06 writing
07 giving　　08 to turn
09 crying　　10 to talk
11 to eat, eating　　12 reading

[해설]
02 *아직 하지 않은 행동이므로 to부정사를 쓴다.
03 *'~하기 위해'라는 의미이므로 to부정사를 쓴다.
05 *이미 한 행동이므로 동명사를 쓴다.
06 *'~하는 것'이라는 의미이므로 동명사를 쓴다.
07 *이미 한 행동이므로 동명사를 쓴다.
08 *아직 하지 않은 행동이므로 to부정사를 쓴다.
09 *명사를 수식하는 현재분사이다.
12 *여기서는 현재분사로 진행형이다.

Start up

❶ 01 meeting　　02 to turn off
　03 raining [to rain]　04 sending
　05 to smoke　　06 to water
　07 sleeping　　08 to sing [singing]
　09 listening　　10 eating
　11 to ride [riding]　12 to lock

❷ 01 to support [supporting]
　02 to cry [crying]　03 to feed
　04 signing　　05 putting
　06 swimming　　07 burning
　08 to call　　09 shopping

10 to listen　　11 to write [writing]
12 to send

[해설]
03 *아직 하지 않은 행동이므로 to부정사를 쓴다.
05 *이미 한 행동이므로 동명사를 쓴다.
06 *현재분사로 명사 girl을 수식하고 있다.

Check up & Writing

❶ 01 to snow[snowing]　02 visiting
　03 taking　　04 changing
　05 to buy　　06 blowing[to blow]
　07 to stay [staying]　08 drinking
　09 to bring　　10 singing
　11 keeping　　12 to watch

[해설]
01 *continue는 to부정사와 동명사를 모두 목적어로 취할 수 있다.
02 *remember+동명사: ~한 것을 기억하다
03 *stop+동명사: ~하는 것을 멈추다
　　stop+to부정사: ~하기 위해 멈추다
05 *forget+동명사: ~한 것을 잊다
　　forget+to부정사: ~할 것을 잊다
06 *start는 to부정사와 동명사를 모두 목적어로 취할 수 있다.
07 *likes는 to부정사와 동명사를 모두 목적어로 취할 수 있다.
11 *현재분사로 진행형이다.

❷ 01 stopped to answer the cell phone
　02 forgot visiting the zoo
　03 that crying girl
　04 forget to take your umbrella
　05 to deliver the furniture by tomorrow
　06 sending the package to his daughter
　07 talking about her any more
　08 asking [to ask] me the same question
　09 wasting money to buy a computer
　10 to work [working] here last year
　11 to eat [eating] salty food
　12 to cook [cooking] Korean food

Level up

❶ 01 Playing / To play　02 writing

03 painting 04 drawing
05 to bring 06 to go
07 Eating / To eat 08 Going / To go
09 practicing 10 receiving
11 staying up 12 tell
13 watching 14 doing
15 have

[해석]
01 친구들과 농구 경기를 하는 것은 정말 재미있다.
02 그녀는 영어로 시를 쓰는 데 관심이 있다.
03 그는 공원에 있는 모든 벤치를 칠하는 것을 마쳤다.
04 그녀와 나는 그림 그리는 것에 대해 얘기했다.
05 다음에 부인을 데리고 오는 것을 잊지 마세요.
06 그는 이번 주말 동물원에 가는 것을 계획했었다.
07 고기를 너무 많이 먹는 것은 건강에 좋지 않다.
08 음악회에 가는 것이 나의 취미이다.
09 그녀는 피아노 연습에 많은 시간을 보냈다.
10 대답을 기다리겠습니다.
11 그들은 늦게까지 자지 않는 것에 익숙하다.
12 그는 나에게 그의 비밀을 말하기를 원한다.
13 그들은 액션영화 보는 것을 즐긴다.
14 그녀는 설거지 하고 아침을 준비하느라 바쁘다.
15 그들은 바다 경치가 보이는 방을 갖기를 희망했다.

❷ 01 closing 02 trying
03 concentrating 04 working
05 teaching 06 worrying
07 coming 08 study
09 swim 10 smiling
11 making 12 driving
13 playing 14 to visit
15 singing

[해석]
01 문을 닫아도 될까요?
02 그녀는 그를 이해하려는 노력을 포기했다.
03 일부 사람들은 집중하는 데 어려움을 가지고 있다.
04 Ann은 대부분의 시간을 일하는 데 보낼 것이다.
05 나에게 영어를 가르쳐줘 고마워.
06 나는 너를 걱정하지 않을 수 없다.
07 제시간에 오지 못해 미안해.
08 그는 영어공부를 하기 위해 미국에 갔다.
09 강에서 수영하는 것은 쉽지 않다.
10 너는 그 미소 짓는 소녀를 아니?

11 그 방에 있는 아이들은 계속 소음을 냈다.
12 그녀는 운전을 잘한다.
13 나는 매일 바이올린을 연습한다.
14 그는 그의 삼촌을 방문할 계획을 하고 있다.
15 내가 책을 읽을 때 노래를 멈춰줄래?

❸ 01 enjoy sunbathing 02 goes fishing
03 spend, reading
04 How about eating out
05 is used to living 06 busy taking
07 no use trying 08 stopped watching
09 feel like going out 10 forgot to send
11 avoid drinking 12 kept thinking

❹ 01 그의 목표는 자기 소유의 집을 갖는 것이다.
02 나는 식물을 재배하는 것에 관심이 있다.
03 그의 아버지는 그에게 돈을 준 것을 잊었다.
04 그들은 실수를 할까 봐 걱정을 한다.
05 그는 일자리 찾는 것을 포기했다.
06 우리는 파티에 가지 않을 수 없었다.
07 내일 집에 돌아가는 게 어때?
08 어머니는 전화로 얘기 중이시다.
09 외국어를 배우는 것은 매우 유용하다.
10 Smith는 자전거 탈 때 헬멧을 쓰는 것에 익숙하다.
11 그녀는 어젯밤 어머니를 도와주느라 바빴다.
12 나는 공원에서 너의 엄마를 본 것을 기억한다.

Actual Test

01 ③ 02 ② 03 ④ 04 ⑤ 05 ⑤
06 ④ 07 ② 08 ④ 09 ④ 10 ②
11 ⑤ 12 ③ 13 ① 14 ③ 15 ③

16 at playing basketball
17 used to drinking
18 그는 사진을 찍기 위해 멈췄다.
19 나는 그 잡지를 읽지 않을 수 없다.
20 to do → doing

[해석 및 해설]
01 *plan 다음에는 to부정사가 오고 나머지는 동명사가 온다.
02 *refuse 다음에는 to부정사가 온다.
03 Mike는 말 타는 것을 두려워한다.
   *전치사 of의 목적어로 동명사가 온다.
04 그녀는 케이크 사는 데 돈을 좀 썼다.

05 나를 초대해줘서 고마워.

그녀는 캠핑을 가기로 결심했다.

*전치사+동명사 / decide+to부정사

06 그는 부모님을 방문할 계획이다.

엄마는 기름진 음식을 먹지 않으려고 하신다.

*plan+to부정사 / avoid+동명사

07 주제는 집에서 애완동물 기르기이다.

*주격보어로 동명사 대신 to부정사가 올 수 있다.

08 ① 하이킹 가는 게 어때?

② 기차 여행은 매우 재미있다.

③ 그는 춤과 노래를 잘한다.

④ 그들은 체육관에서 농구를 하고 있다.

⑤ 그는 TV를 보기 위해 말하는 것을 멈췄다.

*④는 진행형의 현재분사 나머지는 동명사이다.

09 *④ finished to clean → finished cleaning

10 *② can't help think → can't help thinking

11 ① going → to go

② to walk → walking

③ going → to go

④ invite → inviting

12 A: 아침 먹을래?

B: 아니, 아무것도 먹고 싶지 않아.

13 그는 숙제를 마치자마자 컴퓨터를 켰다.

*「on+동명사」는 '~하자마자'라는 의미이다.

15 *look forward to 다음에 동명사가 온다.

20 *keep 다음에 동명사가 온다.

Chapter 03. 분사

Unit 01. 현재분사

Warm up

01 flying bird	02 the boys playing
03 singing boy	04 barking dogs
05 dogs barking	06 sleeping baby
07 baby sleeping	08 shocking news
09 taking pictures	10 girls sitting
11 pictures hanging	12 boy reading
13 dancing girl	14 burning car
15 man talking	

[해석]

01 그 날아가는 새를 봐.

02 운동장에서 야구하는 소년들을 봐라.

03 그 노래하는 소년을 아니?

04 그 짖는 개들은 나의 삼촌 것이다.

05 우리에게 짖는 그 개들은 나의 삼촌 것이다.

06 그 자고 있는 아기는 매우 귀엽다.

07 침대에서 자고 있는 아기는 매우 귀엽다.

08 그들은 놀라운 뉴스를 찾고 있다.

09 그는 공원에서 사진을 찍고 있다.

10 나무 아래 앉아 있는 소녀들은 내 친구들이다.

11 벽에 그림들이 걸려 있다.

12 도서관에서 책을 읽고 있는 소년은 Jack이다.

13 그 춤추는 소녀는 캐나다에서 왔다.

14 오늘아침 거리에서 불타는 자동차를 보았다.

15 나의 엄마와 얘기하고 있는 남자는 의사다.

Start up

❶
01 짖고 있는 개	02 잠자는 아기
03 불타는 집	04 달리고 있는 소년
05 빛나는 돌	06 흥미로운 영화
07 청소하는 여성	08 날아가는 새
09 우는 아기들	10 놀라운 이야기
11 점프하는 개구리	12 노래하는 소년들
13 춤추는 학생들	14 소리 지르는 아이들
15 미소 짓는 여성	

❷
01 소파에서 잠자는 소년	02 껌을 씹는 소녀
03 세차하는 남자	04 무대에서 노래하는 소녀
05 나를 바라보는 남자	06 방을 청소하는 여자
07 나에게 짖는 개	08 나무에 앉아 있는 새
09 하늘을 날고 있는 비행기	
10 나무 아래서 쉬고 있는 여자	
11 그녀에게 소리 지르는 남자	
12 은행에서 일하는 사람들	
13 도서관에서 공부하는 소년	
14 연못으로 뛰어드는 개구리	
15 나를 향해 손 흔드는 남자	

Check up & Writing

❶
01 shocking	02 cutting	03 talking
04 sleeping	05 surprising	06 swimming
07 exciting	08 crying	09 twinkling
10 entering	11 standing	12 fixing

❷ 01 the girl riding a horse

02 The boys feeding the cows

03 the confusing situation

04 very interesting computer game

05 the old man coming out of the office

06 surprising facts about chickens

07 The man cooking in the kitchen

08 The boys listening to music

09 The students dancing on the stage

10 a bird singing on the tree

11 shocking information about his country

12 people lying on the grass

Unit 02. 과거분사

Warm up

01 shocked   02 excited   03 used

04 interesting   05 made   06 advertised

07 surprised   08 fallen   09 disappointed

10 exciting   11 shocking   12 filled

13 satisfied   14 interested   15 depressed

Start up

❶ 01 중고차   02 냉동고기   03 고장 난 컴퓨터

   04 말린 생선   05 낙엽들(떨어진 잎들)

   06 훔친 보석   07 썩은 이   08 음주운전자

   09 삶은 계란   10 구운 감자   11 오염된 강

   12 부은 얼굴   13 타버린 나무   14 잃어버린 개

   15 튀긴 음식

❷ 01 한국에서 만든 가방   02 Jane이 보낸 편지

   03 영어로 쓰인 책   04 내 집 앞에 주차된 자동차

   05 폭풍에 의해 부서진 집들 06 언덕 위에 지어진 집

   07 눈으로 덮인 지붕   08 벽에 걸린 그림들

   09 그가 감독한 영화   10 나에게 준 돈

   11 지난달에 발명된 기계   12 파티에 초대된 사람들

   13 마루 위에서 발견된 돈   14 런던에서 태어난 소녀

   15 신선한 야채로 요리된 음식

Check up & Writing

❶ 01 interested   02 collected

   03 built   04 drawn

   05 written   06 filled

   07 covered   08 advertised

09 ordered   10 parked

11 given   12 injured

❷ 01 the bag fallen on the floor

   02 my computer fixed by tomorrow

   03 The food cooked by my mom

   04 the soldiers wounded in the war

   05 The house painted in red

   06 the students interested in science

   07 was satisfied with my idea

   08 He felt bored

   09 Sara was disappointed

   10 The letter sent to her

   11 The novels written by her

   12 The soccer game played between

Unit 03. 분사구문

Warm up

01 열심히 공부했기 때문에   02 흡연실

03 집에 도착한 후   04 피자를 먹으면서

05 숙제를 하면서   06 어릴지라도

07 어리기 때문에   08 TV를 볼 때

09 바쁘기 때문에   10 숙제를 마친 후

11 저녁식사를 마친 후   12 배가 고파서

[해석]

01 열심히 공부했기 때문에 그녀는 과학자가 되었다.

02 그들은 흡연실을 찾고 있다.

03 집에 도착한 후 그는 샤워를 했다.

04 그는 피자를 먹으면서 책을 읽었다.

05 숙제를 하면서 그는 라디오를 들었다.

06 그는 어릴지라도, 영어를 잘할 수 있다.

07 그녀는 어리기 때문에 말을 탈 수 없다.

08 TV를 볼 때 나는 이상한 소음을 들었다.

09 바쁘기 때문에 그녀는 보고서를 마치지 못했다.

10 숙제를 마친 후 그는 컴퓨터 게임을 했다.

11 저녁식사를 마친 후 그녀는 이를 닦는다.

12 배가 고파서 나는 어젯밤 잠을 잘 수가 없었다.

Start up

❶ 01 Eating lunch   02 Taking a rest

   03 Being poor   04 Studying hard

05 Being rich   06 Having a toothache
07 Taking a shower
08 Seeing Jessie on the street
09 Finishing painting the wall
10 Walking down the street
11 Being sick   12 Being short

[해석]

01 그녀는 점심을 먹으면서 TV를 보았다.
02 그는 휴식을 취한 후 기분이 훨씬 좋아졌다.
03 그녀는 가난하지만 매우 행복하다.
04 그녀는 열심히 공부했기 때문에 시험에 통과했다.
05 그는 부자여서 집을 살 수 있다.
06 치통이 있어서 그는 학교에 가지 않았다.
07 그녀는 샤워를 하면서 콧노래를 불렀다.
08 그가 거리에서 Jessie를 보자, 그녀에게 손을 흔들었다.
09 우리는 벽 페인트칠을 마친 후 수영하러 갔다.
10 나는 길을 걸어갈 때 친구 Jackson을 만났다.
11 그녀는 아파서 아무것도 먹지 못했다.
12 나는 키가 작지만 야구를 잘한다.

❷ 01 Being young
02 Singing softly
03 Being tired
04 Arriving at the station
05 Seeing his mom
06 Being written quickly
07 Turning to the left
08 Hearing the news
09 Taking a shower
10 Taking a walk
11 Having no money with me
12 Being rich

[해석]

01 그는 어리지만 매우 영리하다.
02 그녀는 노래를 부드럽게 부르면서 정원을 걸었다.
03 나는 피곤해서 일찍 잤다.
04 역에 도착했을 때 나는 기차가 막 떠난 것을 알았다.
05 그는 엄마를 봤을 때 기뻐서 껑충 뛰었다.
06 그 책은 빠르게 집필되어서 실수가 많았다.
07 왼쪽으로 돌면 박물관이 보일 것이다.
08 그녀가 그 뉴스를 들었을 때 매우 놀랐다.

09 그녀는 샤워를 한 후 머리를 말렸다.
10 나는 산책을 하면서 그녀 생각을 했다.
11 나는 돈이 없어서 너를 도와줄 수 없다.
12 그녀는 부자지만 행복하지 않다.

Check up & Writing

❶ 01 그녀는 돈을 모두 써서 집을 살 수가 없었다.
02 공원을 걷고 있을 때 나는 James를 만났다.
03 그녀는 영화를 보면서 팝콘을 먹었다.
04 나는 숙제를 마친 후 박물관에 갔다.
05 나는 아파서 식욕을 잃었다.
06 뉴스를 들었을 때 그는 놀랐다.
07 그녀를 기다리면서 나는 책을 읽었다.
08 그는 양다리를 흔들면서 TV를 보았다.
09 그녀는 영국에 살고 있을지라도 영어를 못한다.
10 나를 보자 그는 도망갔다.
11 우승을 해서 그들은 매우 흥분해 있었다.
12 그녀는 키는 크지만 농구는 잘하지 못한다.

❷ 01 Doing his homework
02 Fixing a computer
03 Having no money
04 Being young
05 people in the smoking room
06 Walking along the beach
07 Crossing the street
08 Listening to her speech
09 Working hard
10 Getting up early
11 Having some money
12 Going to school

Level up

❶ 01 boring, bored
02 exciting, excited
03 interested, interesting
04 confused, confusing
05 pleasing, pleased
06 shocked, shocking
07 surprised, surprising
08 amazed, amazing
09 satisfied, satisfying
10 disappointing, disappointed
11 touching, touched

05 그런 종류의 음악을 듣는 것은 즐겁다. / 나는 너를 만나서 기쁘다.

10 그것은 실망스러운 보고서였다. / 우리는 그 보고서에 실망했다.

11 그녀의 연설은 감동적이었다. / 나는 그녀의 연설에 감동받았다.

❷ **01** 그녀는 거리에서 노래하는 여성을 보았다.

02 그녀는 거리에서 사는 사람들을 도와주었다.

03 브라질에서는 사용되는 언어는 무엇이니?

04 그녀를 기다리며 나는 노래를 불렀다.

05 그녀는 팔을 벌리면서 그를 환영해 주었다.

06 그들은 방에서 깨어진 꽃병을 발견했다.

07 그는 날아가는 모기를 잡았다.

08 저녁식사를 만드는 여자 분은 나의 숙모[이모]이시다.

09 그들은 호텔에 체류하는 손님들이다.

10 그는 아파서 어제 학교에 결석했다.

11 그 식물에 물을 주는 소년은 나의 사촌이다.

12 그녀는 자기 방을 청소하면서 라디오를 들었다. / 그녀는 자기 방 청소를 한 후 라디오를 들었다.

❸ **01** sitting   **02** picking up
03 killed   **04** built
05 found   **06** interested
07 fried   **08** used
09 rising   **10** shouting
11 missing   **12** taking

❹ **01** standing   **02** cleaning
03 painted   **04** boring
05 Seeing   **06** walking
07 loved   **08** crying
09 exciting   **10** Being
11 stolen   **12** locked

Actual Test

01 ④	02 ②	03 ④	04 ⑤	05 ②
06 ⑤	07 ④	08 ⑤	09 ④	10 ⑤
11 ④	12 ④	13 ⑤	14 ④	15 ②

16 excited

17 Getting off the train, I called my mom.

18 그녀는 일찍 일어났지만 첫 기차를 놓쳤다.

19 playing, is

20 Do you know the crying girl?

[해석 및 해설]

01 *steal의 과거분사는 stolen이다.

02 나는 조금 흥분했다.

03 그것들은 오염된 강에서 살 수 없다.

04 안경 쓴 여성은 나의 엄마이시다.

05 그 소년은 놀란 듯 보였다. / 그 축구경기는 흥미진진했다. / 그 뉴스는 매우 재미있었다.

06 *⑤는 동명사이며, 나머지는 분사이다.

07 ① 보는 것이 믿는 것이다.
② 야구를 하는 것은 나의 삶이다.
③ 내 취미는 우표수집이다.
④ 무대에서 춤추는 소녀들을 보아라.
⑤ Jane은 말 타는 것을 즐긴다.
*④는 분사이고 나머지는 동명사이다.

08 ① exciting   ② tired
③ interesting   ④ excited

9 *④ mountain과 수동의 관계이므로 covering 대신 covered가 와야 한다.

10 ① 나는 영화에 관심이 있다.
② 그녀는 매우 혼란스러워 했다.
③ 그 영화는 흥미진진했다.
④ 빨간색으로 칠한 집은 Tina의 집이다.
⑤ 나는 그 소식에 놀랐다.
*내가 놀란 상태이므로 surprised가 되어야 한다.

11 그녀는 어리지만 영리하다.

12 그는 돈이 없어서 여행을 가지 못했다.
*'돈이 없었기 때문에'라는 의미이고 주절의 시제가 과거로 As he had no money가 와야 한다.

13 *⑤ Though 대신 When이 와야 자연스럽다.

14 나는 날아가는 나비들을 보았다.

15 그는 그 뉴스를 듣고 슬펐다.

16 우리는 그 뉴스를 듣고 흥분했다.

17 나는 기차에서 내린 후 엄마에게 전화했다.

Review Test

❶ **01** to help   **02** something to drink
03 to live in   **04** to wash
05 to wear   **06** to write on
07 open

❷ **01** to   **02** too   **03** It
04 can   **05** can't   **06** enough

01 경기규칙을 지키는 것은 중요하다.

02 그녀는 말을 타기에는 너무 어리다.

03 네 오빠를 돕는 것은 좋은 생각이다.

04 그녀는 무척 영리해서 그 소설을 이해할 수 있다.

05 그는 무척 피곤해서 아들과 함께 놀 수 없다.

06 내 삼촌은 스포츠카를 살 만큼 부유하다.

❸ 01 부사적 용법, 우리는 새로운 체육관을 갖게 되어 기쁘다.

02 형용사적 용법, 그는 프랑스어를 배울 기회가 없었다.

03 명사적 용법, 이 강에서 수영하는 것은 위험하다.

04 명사적 용법, 우리는 그들의 사진을 찍기로 결심했다.

05 명사적 용법, 그는 축구선수가 되기를 원한다.

06 명사적 용법, 우리는 오늘 밤 극장 앞에서 만나기로 약속했다.

07 형용사적 용법, 나는 지금 할 일이 많다.

08 부사적 용법, 너를 만나서 기쁘다.

09 부사적 용법, 나를 도와주다니 그녀는 참 친절하다.

10 형용사적 용법, 나는 그들에게 줄 음식이 없다.

11 형용사적 용법, 너에게 물어볼 몇 가지 질문이 있다.

12 부사적 용법, 나는 사과를 좀 사기 위해 슈퍼마켓에 가는 중이다.

❹ 01 reading　02 speaking　03 finding
04 feeling　05 learning　06 fishing
07 to meet　08 meeting　09 watching
10 to turn off　11 to drink　12 eating

❺ 01 swimming　02 shopping　03 buying
04 helping　05 going　06 to lock
07 eating　08 preparing　09 meeting
10 to send　11 becoming　12 to accept

❻ 01 shocking　02 baking　03 interesting
04 excited　05 talking　06 moving
07 built　08 made　09 taken
10 cooked　11 frightened　12 shouting
13 confusing　14 parked　15 asked

[해석]

03 나는 너에 대한 재미있는 소문을 들었다.

09 공원에서 찍힌 사진들은 선명하지 않다.

11 나의 친구들은 너무 겁을 먹어서 말을 못했다.

13 그녀는 혼란스러운 질문을 내게 했다.

15 질문을 받은 학생은 당황한 듯 보였다.

Achievement Test

01 ③　02 ②　03 ③　04 ②　05 ④
06 ③　07 ①　08 ①　09 ③　10 ②
11 ③　12 ⑤　13 ⑤　14 ④　15 ④
16 ④　17 ①　18 ②　19 ④　20 ④
21 ①　22 ②　23 ④　24 with
25 when, what　26 1) hearing 2) to visit
27 too, to　28 나는 버스를 기다리며 노래를 불렀다.
29 exciting, excited
30 the boy crying over there

[해석 및 해설]

01 그는 전화기에 소리를 지르는 남자를 보았다.
*man을 수식하는 현재분사가 와야 한다.

02 그렇게 말하다니 그는 영리한 게 틀림없다.
*to부정사의 부사적 용법 – 판단

03 *능동에는 현재분사, 수동에는 과거분사를 쓴다.

04 *decide는 to부정사를 목적어로 취한다.

05 Tom은 오늘 아침 수영을 갔다.
*go swimming / go shopping / go fishing

06 *hope는 to부정사를 목적어로 취하며 나머지는 동명사를 목적어로 취한다.

07 *enjoy는 동명사를 목적어로 취한다.

09 *a broken computer 고장 난 컴퓨터

10 *②는 동명사 나머지는 현재분사이다.

11 ① 부사적 용법　② 부사적 용법
③ 형용사적 용법　④ 명사적 용법
⑤ 명사적 용법(진주어)

12 ① 형용사적 용법
② 명사적 용법
③ 부사적 용법(감정 원인)
④ 부사적 용법(감정 원인)
⑤ 부사적 용법(목적)

13 *주어진 문장의 playing은 동명사, ⑤는 동명사 나머지는 현재분사이다.

14 *④는 명사적 용법이고 나머지는 모두 형용사적 용법이다.

15 *④의 it은 대명사 나머지는 가주어 it이다.

16 *분사구문으로 listening이 필요하다.

17 비록 그녀는 어리지만 영어로 말을 잘한다.

18 *hearing은 주절의 시제가 과거이므로 heard가 되어야 한다.

20 *「be used to+동명사」는 '~하는 것에 익숙하다'라

는 의미이고, 「used+to부정사」는 '~하곤 했다'라는 의미이다.

21 *「go+동명사」가 되어야 한다.

22 *「busy+동명사」가 되어야 한다.

23 *부사적 용법의 목적이 되어야 한다.

26 *1) look forward to+동명사

27 나는 무척 바빠서 오늘 너를 만날 수 없다.

Chapter 04. 수동태

Unit 01. 능동태와 수동태

Warm up

01 bought	02 cleaned	03 him
04 broken	05 hit	06 loved
07 was	08 made	09 was
10 created	11 by	12 sung
13 spoken	14 fixed	15 invented

[해석]

01 그 자전거는 Mike에 의해 구매되었다.

02 그 창문은 우리에 의해 청소되었다.

03 그 도둑은 그에 의해 체포되었다.

04 Tom에 의해 창문이 깨졌다.

05 소녀가 택시에 치였다.

06 그는 그의 부모님에 의해 사랑을 받았다.

07 컴퓨터 마우스는 1960년대에 발명되었다.

08 이 자동차는 한국에서 만들어졌다.

09 이 집은 1974년도에 지어졌다.

10 한글은 세종대왕에 의해 창제되었다.

11 햄릿은 셰익스피어에 의해 써졌다.

12 그 노래는 비틀즈에 의해 불려졌다.

13 영어는 전 세계에서 말해진다.

14 그 문은 그녀에 의해 수리되었다.

15 그는 전화기를 발명했다.

Start up

❶ 01 painted by her   02 We are loved

03 was built by   04 were borrowed by

05 The vase was broken   06 by her

07 was found by   08 by her

09 The poor people were

10 were made by   11 was written by

12 is driven by

[해석]

01 그 문은 그녀에 의해 칠해졌다.

02 우리는 그들에 의해 사랑받는다.

03 그 다리는 우리에 의해 세워졌다.

04 그 책들은 Sally에 의해 빌려졌다.

05 그 꽃병은 너에 의해 깨졌다.

06 이 로봇은 그녀에 의해 발명되었다.

07 그는 이 공원에서 Thomas에 의해 발견되었다.

08 그 상자들은 그녀에 의해 옮겨졌다.

09 그 가난한 사람들은 어제 Jane에 의해 도움을 받았다.

10 그 쿠키들은 내 엄마에 의해 만들어졌다.

11 이 편지는 그녀에 의해 써졌다.

12 오래된 트럭은 Mike에 의해 운전되어 진다.

❷ 01 by many people

02 was made by

03 is cleaned by

04 The red shirt was chosen

05 My bag was stolen

06 This new bike was bought

07 was changed by

08 was caught by

09 The three alligators were killed

10 Those pictures were drawn

11 was sung by

12 The book was put

[해석 및 해설]

01 오늘날 많은 사람들에 의해 컴퓨터가 사용되어 진다.

02 이 의자는 내 삼촌에 의해 만들어졌다.

03 그녀의 방은 Michelle에 의해 매주 청소된다.
   *수동태로 바꿀 때, 시간·장소·방법·태도 등을 나타내는 부사(구)의 위치는 변화되지 않고 그 자리에 그대로 씁니다.

04 그 빨간 셔츠는 Mike에 의해 선택되었다.

05 나의 가방은 그녀에게 도난당했다.

06 이 새 자전거는 내 여동생에 의해 구입되었다.

07 그녀와 Tom에 의해 그들의 계획이 변경되었다.

08 그 살인자는 경찰에 의해 붙잡혔다.

09 그 세 마리 악어들은 그 남자에 의해 죽었다.

10 저 그림들은 Cathy에 의해 그려졌다.

11 그 노래는 David에 의해 불러졌다.

12 그 책은 그에 의해 책상 위에 놓여졌다.

Check up & Writing

❶ 01 This cake was made by him.

02 The desk was moved by her.

03 The two bears were caught by those people.

04 Jina is helped by many friends.

05 I was invited to the party by her.

06 My bike was stolen by someone.

07 This music is loved by a lot of people.

08 Those doors were painted by him.

09 The dishes were broken by Susan.

10 French is spoken in France (by people).

11 The book was[is] read by many children.

12 The village was hit by an earthquake in 2010.

❷ 01 was written by my mother

02 loved by a lot of students

03 were planted by him

04 was polluted by the company

05 was cooked by Tim

06 was changed by her

07 was hit by a bus

08 was stopped by a policeman

09 was sent by Mike

10 was found by her

11 is held by them

12 was built by the man

Unit 02. 수동태의 여러 가지 형태 Ⅰ

Warm up

01 was shown	02 for	03 by
04 was sent	05 an angel	06 upset
07 was painted	08 for	09 was cooked
10 by	11 was born	12 English
13 to	14 to	15 to

[해석]

01 Jim이 그림을 우리에게 보여줬다.

02 그 의자는 그를 위해 그의 아버지가 만들었다.

03 그녀는 Sam으로부터 목걸이를 받았다.

04 그녀가 도시락을 Mike에게 보냈다.

05 그녀는 우리에 의해 천사라고 불린다.

06 그들은 나를 화나게 했다.

07 Jessie는 벽을 노랗게 칠했다.

08 그 책은 Peter 삼촌이 Peter를 위해 구매했다.

09 그 음식은 그녀가 그녀의 엄마를 위해 요리했다.

10 그 피자는 그들에 의해 만들어졌다.

11 Albert Einstein(아인슈타인)은 독일에서 태어났다.

12 우리는 Sam에게서 영어를 배운다.

13 우리는 Sam에게서 영어를 배운다.

14 Jack은 약간의 동전을 나에게 줬다.

15 그 여성이 나에게 그 접시들을 팔았다.

Start up

❶ 01 was given to me by them

02 were sent to me by

03 was painted white by

04 were made for me by

05 kept fresh by

06 was given a ring by

07 was given to me by

08 was found empty by

09 was bought for him by

10 was taught English

11 was taught to her by

12 was lent to me by

[해석]

01 그들은 내게 치즈를 좀 줬다.

02 Jake는 내게 꽃을 보냈다.

03 그녀는 의자를 하얗게 칠했다.

04 엄마는 내게 치즈케이크를 만들어 주셨다.

05 그녀는 야채들은 신선하게 유지했다.

06 Ted는 그녀에게 반지를 주었다.

07 Ted는 내게 약간의 돈을 주었다.

08 우리는 상자가 비었다는 것을 알았다.

09 우리는 그에게 자전거를 사줬다.

10 Mike는 그의 사촌에게 영어를 가르쳤다.

11 Mike는 그녀에게 과학을 가르쳤다.

12 그는 나에게 그의 자전거를 빌려줬다.

❷ 01 is kept clean by
02 was called *Nabi* by
03 was sent to me
04 was cooked for me by
05 were made sad by
06 Their homework was shown
07 I was shown
08 A big pie was bought
09 I was given
10 was left open by
11 Biology was taught
12 was made sweet

[해석]
01 그는 그의 방을 깨끗하게 유지한다.
02 그들은 그 고양이를 '나비'라고 불렀다.
03 그는 내게 이메일을 보냈다.
04 아버지는 내게 한국음식을 요리해줬다.
05 그 뉴스는 우리를 슬프게 했다.
06 그들은 내게 그들의 숙제를 보여줬다.
07 그들은 내게 그들의 사진들을 보여줬다.
08 그녀는 내게 커다란 파이를 사줬다.
09 John은 내게 고기를 좀 줬다.
10 Jessica는 그 문을 열어두었다.
11 Brown 씨는 그들에게 생물을 가르쳤다.
12 그녀는 그 음식을 달게 만들었다.

Check up & Writing

❶ 01 His mother was made happy by Mark.
02 This money was given to me by him. / I was given this money by him.
03 Her purse was shown to me by Jane. / I was shown her purse by Jane.
04 An interesting book was bought for me by him.
05 Some books were sent to him by her. / He was sent some books by her.
06 The soup was kept warm by my mom.
07 Fruits are made fresh by the refrigerator.
08 The movie was found boring (by people).
09 He was elected president (by us).
10 He was called Jim by us.

11 The doll was lent to me by her. / I was lent the doll by her.
12 A big kite was made for me by him.

[해설]
04 *make, buy, write 등이 쓰인 4형식 문장에서는 직접목적어만 수동태의 주어로 전환할 수 있다.
12 *make, buy, write 등이 쓰인 4형식 문장에서는 직접목적어만 수동태의 주어로 전환할 수 있다.

❷ 01 was given to me by him
02 were taught history by
03 was made for me by my mom
04 was bought for me
05 was kept warm by
06 was shown to them
07 was sold to Sam
08 was given some advice
09 were made happy by
10 was given a cup of coffee by
11 was named *Blackie* by
12 were sent to me by

Unit 03. 수동태의 여러 가지 형태 II

Warm up

01 was not made
02 will be fixed
03 cooked
04 done
05 broken
06 was not written
07 sent
08 must be delivered
09 will be punished
10 appeared
11 were not taken
12 resembles
13 must be prepared
14 can finish
15 destroyed

[해석]
01 이 자동차는 한국에서 만들어지지 않았다.
02 그 컴퓨터는 Tom에 의해 수리될 것이다.
03 스파게티를 Jessie가 만들었니?
04 이것은 저녁식사 전까지 해야 된다.
05 그 창문 네가 깼니?
06 이 소설은 Samuel이 쓰지 않았다.
07 이 꽃들은 Thomas가 내게 보냈니?
08 이 가구는 Jim이 배달해야 한다.

09 그 학생은 교장선생님에게 벌을 받을 것이다.
10 나무 뒤에서 갑자기 한 남자가 나타났다.
11 저 사진들은 그녀가 찍지 않았다.
12 Jessica는 아버지를 닮았다.
13 파티는 그들에 의해 준비되어야 한다.
14 그들은 내일까지 숙제를 끝낼 수 있다.
15 그 집이 태풍에 의해 파괴되었니?

Start up

❶ 01 Was she invited to the party
02 will be used by
03 Was the magazine published
04 The game was not cancelled
05 Was the building designed
06 Were the paintings drawn
07 Jane was not appointed
08 The problems can be solved
09 Was this novel written
10 The concert was not delayed
11 The broken car will not be repaired
12 Was Hong Kong ruled

[해석]
01 그는 그녀를 파티에 초대했니?
02 그는 이 컴퓨터를 사용할 것이다.
03 그들은 잡지를 출판했니?
04 그들은 경기를 취소하지 않았다.
05 유명한 건축가가 그 건물을 디자인했니?
06 네 딸이 그 그림들을 그렸니?
07 그들은 Jane을 마케팅 매니저로 임명하지 않았다.
08 Jason은 그 문제들을 쉽게 풀 수 있다.
09 네 아버지가 이 소설을 썼니?
10 그 안개가 어제 콘서트를 연기시키지 않았다.
11 그들은 부서진 차를 고치지 않을 것이다.
12 영국은 홍콩을 100년 넘게 지배했니?

❷ 01 the school built in 1989
02 will be delivered by them
03 was not prepared by him
04 will be held by the city
05 all the windows cleaned
06 The lamp was put on the table
07 The restaurant is not run
08 Was Kevin chosen as

09 The books can be borrowed
10 Were the new cars displayed
11 Was the bill paid
12 The rules of the game may be changed

[해석]
01 그들은 학교를 1989년에 세웠니?
02 그들은 내일 네 주문을 배달할 것이다.
03 그는 파티를 준비하지 않았다.
04 그 도시는 여름 축제를 개최할 것이다.
05 Peter는 모든 창문들을 닦았니?
06 Sam은 아침에 테이블 위에 램프를 놓았다.
07 Brown 씨는 레스토랑을 운영하지 않는다.
08 그들은 Kevin을 지도자로 선출했니?
09 너는 10일 동안 그 책들을 빌릴 수 있다.
10 회사는 지난달 새 차들을 전시했니?
11 Sam은 청구서를 지불했니?
12 위원회는 경기의 규칙들을 바꿀 수 있다.

Check up & Writing

❶ 01 The windows were not [weren't] broken by them.
02 Was the gym built by them last year?
03 Was your bike stolen by someone?
04 His report can be done by this weekend.
05 Her name appeared on the list.
06 She resembles her father.
07 Your homework must be submitted once.
08 The report was not finished in time.
09 Were those cookies baked by you?
10 I have an old car.
11 The work cannot [can't] be finished by Sam.
12 Mike will be invited to the conference.

[해설]
05 *자동사는 수동태로 쓰지 않는다.
06 *상태를 나타내는 동사는 수동태로 쓰지 않는다.
10 *소유나 상태를 나타내는 동사는 수동태로 쓸 수 없다.

❷ 01 was not written by Billy
02 Was the airplane invented

03 My friends must be invited
04 was not made by Susie
05 The game rules should be obeyed
06 may not be changed by
07 respected by a lot of people
08 Were the trees planted by
09 will not be delivered
10 beverages will be offered
11 the robber caught by the police
12 English is not spoken

Unit 04. 주의해야 할 수동태

Warm up

01 in	02 been	03 with
04 as	05 in	06 by
07 for	08 with	09 with
10 about	11 in	12 of
13 to	14 be	15 with

[해석]

01 그의 책들은 영어로 쓰여 졌다.
02 그는 파티에 초대되었다.
03 그 상점은 많은 손님들로 붐볐다.
04 그 남자는 유명한 의사로 알려져 있다.
05 그 박물관은 도시 중심에 위치해 있다.
06 이 보고서는 jack에 의해 완성되었다.
07 부산은 아름다운 해변으로 유명하다.
08 나의 친구들은 내 음식에 만족해한다.
09 지붕은 눈으로 덮여 있다.
10 나의 아버지는 내 건강을 염려하신다.
11 너는 독서 모임에 관심이 있니?
12 이 테이블들은 나무로 만들어졌다.
13 Sam은 우리 마을 모든 사람에게 알려져 있다.
14 여행은 그녀에 의해 계획될 것이다.
15 그는 시험 결과에 기뻐했다.

Start up

❶
01 from	02 at	03 in
04 with	05 about	06 with
07 of	08 for	09 with
10 of	11 with	12 with
13 in	14 in	15 to

[해석]

01 포도주는 포도로 만든다.
02 그녀는 그의 시험 점수에 놀랐다.
03 그녀는 한국 문화에 관심이 있다.
04 거리는 낙엽으로 덮여 있었다.
05 사람들은 대기오염에 대해 걱정하지 않는다.
06 기차는 관광객들로 붐볐다.
07 이 과자들은 치즈와 밀가루로 만들어진다.
08 그 마을은 아름다운 산들로 유명하다.
09 그는 너의 성공에 기뻐한다.
10 이 동전은 금으로 되어 있다.
11 그녀의 현재 그녀의 삶에 만족한다.
12 그 탱크는 더러운 물로 가득 차 있었다.
13 그 나라는 유럽 남부 지역에 위치해 있다.
14 그 옛날 책은 중국어로 쓰여 있다.
15 그 가수는 많은 외국 사람들에게 알려져 있다.

❷
01 as	02 with	03 with
04 with	05 with	06 with
07 with	08 in	09 to
10 in	11 at	12 of
13 for	14 about	15 been

[해석]

01 그녀는 의사로서 알려져 있다.
02 그의 몸이 먼지로 덮여 있다.
03 그 버스정류장은 많은 승객들로 붐빈다.
04 커다란 천이 테이블에 덮여 있었다.
05 엄마는 나의 점수에 기뻐하셨다.
06 아버지는 자신의 새 자동차에 만족해 하신다.
07 욕조가 따뜻한 물로 가득 차 있다.
08 그는 사진 찍는 것에 관심 있었다.
09 그 배우는 세상 모든 사람에게 알려져 있다.
10 일부 메시지들이 일본어로 쓰여져 있다.
11 우리는 그의 실패에 놀랐다.
12 그 재킷은 비단으로 만들어진다.
13 그 호텔은 훌륭한 서비스로 유명하다.
14 그들은 발표에 대해 걱정했다.
15 그의 차가 인도에 주차되어 있다.

Check up & Writing

❶ 01 was made of   02 is interested in
03 were worried about
04 were satisfied with 05 was filled with

06 is covered with   07 was crowded with
08 were pleased with   09 was known to
10 is located in   11 is known for
12 were surprised at

❷ 01 was made of bricks
02 were surprised at
03 is located in London
04 is always crowded with people
05 are worried about my safety
06 is known as a famous writer
07 was filled with a lot of comic books
08 is covered with chocolate
09 are interested in your special exhibition
10 is going to be written in
11 was satisfied with the new dress
12 is known for its seafood.

[해설]
12 *be known for ~로 유명하다

Level up

❶ 01 Her glasses were found by her.
02 The white horse was not ridden by Ted.
03 A new story will be told tomorrow by the man.
04 The work must be finished right now by you.
05 She was satisfied with the gift.
06 He was made happy by the movie.
07 He was called Jake by us.
08 A cheese cake is being made by my mom.
09 The Olympic games can be watched by millions of people.
10 Your watch can't[can not] be fixed by David.
11 Was this tree cut by you?
12 The door wasn't locked last night by Jackson.

[해석 및 해설]
01 그녀는 안경을 찾았다.
02 Ted는 백마를 타지 않았다.

03 그 남자는 내일 새로운 이야기를 할 것이다.
04 너는 지금 일을 끝내야 한다.
05 그 선물이 그녀를 만족시켰다.
06 그 영화는 그를 행복하게 했다.
07 우리는 그를 Jake라고 불렀다. *him은 목적어 Jake는 목적보어이므로 주어는 He가 되어야 한다.
08 엄마가 치즈 케이크를 만들고 계신다.
09 수백만 명의 사람들이 올림픽 경기를 볼 수 있다.
10 David는 너의 시계를 고칠 수 없다.
11 네가 이 나무를 잘랐니?
12 어젯밤 Jackson은 그 문을 잠그지 않았다.

❷ 01 A lot of money was saved for the trip by Mike.
02 A present was bought for him by his father.
03 She will be taken to the hospital by me.
04 They were taught English by Cathy. / English was taught to them by Cathy.
05 The problem was not solved by Peter.
06 Was that computer used yesterday by you?
07 This topic will be discussed at the next meeting by them.
08 Was the computer bought by him?
09 The bill has been paid by Susie.
10 A lot of money has been collected for the victims by them.
11 The volcanic eruption was predicted by the scientist.
12 The dogs will be trained by us.

[해석]
01 Mike는 여행을 위해 많은 돈을 저축했다.
02 그의 아버지는 그에게 선물을 사줬다.
03 내가 그녀를 병원에 데려갈 것이다.
04 Cathy는 그들에게 영어를 가르쳤다.
05 Peter는 그 문제를 해결하지 못했다.
06 너는 어제 저 컴퓨터를 사용했니?
07 그들은 다음 회의에서 그 주제를 토론할 것이다.
08 그가 그 컴퓨터를 샀니?
09 Susie가 그 청구서를 지불했다.
10 그들은 희생자들을 위해 많은 돈을 모금했다.
11 그 과학자가 화산 폭발을 예언했다.

12 우리는 그 개들을 훈련시킬 것이다.

❸ 01 were bought 02 was caught
03 were brought by 04 was stolen
05 will be run by 06 being washed
07 taught 08 is going to be released
09 was offered 10 was buried
11 been cleaned 12 Was, stopped
13 disappeared 14 satisfied with
15 was taught

❹ 01 Daniel gave her some money.
02 I will submit the report today.
03 They did not [didn't] invite Jessica to the party.
04 We hid his bag.
05 She put some money on the table.
06 A young boy invented the machine.
07 I will teach them English. / I will teach English to them.
08 The vending machine must be repaired by you.
09 My mom made me a cake.
10 Sara will prepare a surprise party for David.
11 Tom always keeps the room clean.
12 Does he keep a pet dog?

Actual Test

1 ③ 2 ② 3 ① 4 ④ 5 ③
6 ① 07 ② 8 ③ 9 ③ 10 ⑤
11 ② 12 ③ 13 ③ 14 ⑤ 15 ④
16 in 17 1) A lot of fruits and vegetables should be eaten by children. 2) The money will be paid by me.
18 was sent, arrived 19 to, for
20 The present was given to me by my friend.

[해석 및 해설]
01 그 의자들은 어제 그의 삼촌에 의해 고쳐졌다.
  *주어가 복수이므로 were가 와야 한다.
02 내 학교건물은 1983년에 지어졌다.
  *시제가 과거이므로 was가 되어야 한다.
03 거실은 손님들로 붐볐다.

04 내 친구들이 이번 일요일 내 파티에 초대될 것이다.
  *친구들이 초대될 것이라는 말이 자연스럽다. 따라서 수동태가 와야 한다.
05 그들은 그 고양이를 'Black'이라고 부른다.
06 그녀는 그 뉴스에 놀랐다.
  지붕이 눈으로 덮여 있었다.
  Jessica는 요리에 관심 있다.
07 ① 그 소설은 Jane Austin이 썼다.
  ② 누군가 많은 돈을 훔쳤다.
  ③ 닭 수프는 내가 만들었다.
  ④ 여동생이 그 벽을 초록색으로 칠했다.
  ⑤ 그에 의해 이 기계가 발명되었다.
08 *③은 시제가 과거이므로 is written을 was written 으로 바꿔야 한다.
  ⑤ 그들이 그를 병원으로 데려갔다.
09 ① 많은 건물이 몇 초만에 파괴되었다.
  ② 1000명의 사람들의 생명이 구해졌다.
  ③ 사람들은 옷을 만들기 위해 동물을 죽였다.
  ④ 그들에 의해 계획이 변경되었다.
  ⑤ 그는 모든 한국사람들에게 사랑을 받는다.
  *③ 사람들이 동물을 죽이는 것이지, 죽임을 당하는 것이 아니므로 People were killed는 People killed 가 되어야 한다.
10 ① 그 개는 'Spot'이라고 불린다.
  ② 이 식물은 매일 물을 줘야 한다.
  ③ 그 책은 많은 사람들에게 읽힌다.
  ④ 새로운 건물이 이곳에 지어질 것이다.
  ⑤ 그 방은 신선한 공기로 가득 찼었다.
  *⑤ was filled of → was filled with
12 *목적격보어는 수동태를 만들 때 이동하지 않는다.
13 *be located in ~에 위치해 있다
15 ① Jack은 그의 점수에 기뻐한다.
  ② 아버지는 내 선물에 만족해하신다.
  ③ 쇼핑몰은 사람들로 붐빈다.
  ④ 고모는 그 파티를 걱정한다.
  ⑤ 그의 책들은 먼지로 덮여 있다.
  *④는 about이 필요하고 나머지는 모두 with가 필요하다.
16 일부 책들은 한국어로 쓰여 있다.
  이 컴퓨터들은 중국에서 만들었다.
17 1) 아이들은 많은 과일과 채소를 먹어야 한다.
  2) 나는 돈을 지불할 것이다.
18 그 소포는 지난주에 보내졌고, 어제 도착했다.

*arrive(자동사)는 수동태가 될 수가 없다.

19 Jim이 그림을 우리에게 보여줬다.

그 피자는 그를 위해 그의 엄마가 만들었다.

*give, show 등은 전치사 to가 필요하고 buy, make 등은 for가 필요하다.

20 선물이 내 친구에 의해 나에게 주어졌다.

*give, show 등은 전치사 to가 필요하고 buy make 등은 for가 필요하다.

Chapter 05. 전치사

Unit 01. 시간 전치사

Warm up

01 at	02 during	03 for
04 for	05 on	06 in
07 in	08 at	09 at
10 at	11 until	12 after
13 by	14 in	15 in

[해석]

01 나는 때때로 밤에 공부한다.

02 여름방학 동안 뭐 했니?

03 그들은 2시간 동안 야구를 했다.

04 나는 그곳에 2주 동안 머물 것이다.

05 우리는 일요일마다 농구를 한다.

06 Jake는 3월에 휴가를 갈 것이다.

07 그의 삼촌은 아침에 운동을 한다.

08 그녀는 3시에 집에 올 것이다.

09 그들은 정오에 점심을 먹는다.

10 공항에 6시에 도착해야 한다.

11 그녀는 너를 5시까지 기다릴 것이다.

12 나는 식사 후에 이를 닦는다.

13 나는 내일까지 이 글쓰기를 끝낼 것이다.

14 그는 2012년에 선생님이 되었다.

15 나는 오후에 바이올린 연습을 한다.

Start up

❶ 01 at 02 before 03 at
  04 during 05 for 06 in

07 at	08 on	09 on
10 on	11 after	12 until

❷ 01 on 02 at 03 in
  04 in 05 in 06 by
  07 in 08 on 09 for
  10 until 11 for 12 during

Check up & Writing

❶ 01 O 02 for 03 O
  04 O 05 at 06 in
  07 O 08 O 09 during
  10 on 11 in 12 O
  13 in 14 O 15 by

[해석 및 해설]

02 *구체적인 수 앞에는 for를 쓴다.

03 *내일까지 계속의 의미이므로 until을 쓴다.

05 *구체적인 시간 앞에 at을 쓴다.

06 *월, 계절, 연도 앞에는 in을 쓴다.

09 *특정한 기간을 나타낼 때에는 during을 쓴다.

10 *날짜, 요일, 특정한 휴일에는 on을 쓴다.

11 *월, 계절, 연도 앞에는 in을 쓴다.

12 나의 아버지는 저녁에 자주 피곤함을 느끼신다.

13 *월, 계절, 연도 앞에는 in을 쓴다.

14 *발렌타인 데이는 특별한 날이므로 on을 쓴다.

15 *완료를 의미하므로 by를 쓴다.

*this, that, next, last, every 등이 시간 표현 앞에 있을 때는 at, on, in을 붙이지 않는다.

❷ 01 singing for three weeks
  02 will start at noon
  03 an education in the past
  04 painting the house by this weekend
  05 his uncle's during the vacation
  06 the guitar until midnight
  07 English for three hours
  08 take a shower after breakfast
  09 the high school in 2015
  10 on Sunday mornings
  11 free in the afternoon
  12 on October 11

Unit 02. 장소, 위치의 전치사

Warm up

01 under	02 in	03 in
04 on	05 at	06 on
07 near	08 behind	09 in
10 in	11 between	12 in front of
13 in	14 at	15 over

Start up

❶
01 on	02 on	03 on
04 at	05 in	06 in
07 under	08 at	09 in
10 among	11 at	12 next to / beside

❷
01 under	02 over	03 behind
04 between	05 on	06 in
07 near	08 in front of	09 in
10 on	11 over	12 at

Check up & Writing

❶
01 at	02 behind	03 on
04 under	05 next to	06 on
07 at	08 in	09 between
10 among	11 over	12 in

❷
01 between the bakery and the post office
02 lying on the sofa now
03 a garage next to [beside] his house
04 very popular among Chinese people
05 a big lake between two cities
06 four people in the car
07 the boy behind Peter
08 are dancing on the stage
09 standing in front of the bank
10 more popular among foreigners
11 waiting for a bus at the airport
12 resting under the shadow of a tree

Unit 03. 방향 전치사

Warm up

01 by	02 for	03 around

04 to	05 with	06 about
07 from	08 into	09 across
10 out of	11 for	12 with
13 along	14 without	15 through

Start up

❶
01 by	02 along	03 around
04 about	05 across	06 from
07 like	08 without	09 down
10 up	11 with	12 to

❷
01 along	02 out of	03 around
04 about	05 across	06 through
07 like	08 without	09 about
10 for	11 into	12 with

Check up & Writing

❶
01 out of	02 through	03 into
04 around	05 for	06 from[out of]
07 across	08 to	09 without
10 for	11 with	12 like

❷
01 about the olympic games
02 take a walk with my uncle
03 behave like a little boy
04 the apple with a knife
05 four girls around the table
06 something from[out of] the box
07 going down the stairs
08 going up the ladder
09 came into the room
10 out of the gym
11 to Canada with her parents
12 a cake without eggs

Level up

❶
01 through	02 about	03 in
04 with	05 for	06 at
07 in	08 from	09 by
10 on	11 in	12 to

[해석]
01 모든 기차는 시청을 통과한다.
그들은 그 마을을 관통해 걸었다.

02 그 버스는 이곳에 약 5분 전에 도착했다.
그는 아시아 국가들에 관한 책을 찾고 있다.

03 그는 세상에서 가장 유명한 배우이다.
그는 아침 7시에 일어난다.

04 나는 너와 함께 여행하고 싶다.
우리는 젓가락으로 음식을 먹는다.

05 그녀는 아들을 위해 기념품을 샀다.
Kevin은 아침에 서울을 향해 떠났다.

06 버스정류장에 얼마나 많은 학생들이 있니?
나는 밤에 커피를 마시지 않는다.

07 James는 한국에 5년 동안 살았다.
2월에 눈이 많이 내린다.

08 그 백화점은 오전 10시에서 오후 8시까지 연다.
우리는 내일부터 권투를 배울 것이다.

09 그곳에 9시 까지 갈게.
우리는 런던에서 파리까지 비행기로 여행할 것이다.

10 그 중국 음식점은 7월 10일에 오픈한다.
일요일에 주로 뭘 하니?

11 그는 미래에 유학을 가길 바란다.
한국에는 많은 산들이 있다.

12 Jessica가 나를 역에 차로 데려다 줬다.
그녀는 나에게 케이크 한 조각을 줬다.

❷ 01 in front of 02 with 03 beside(next to)
04 into 05 to 06 from
07 from 08 for 09 on
10 until 11 out of 12 in

❸ 01 to 02 for 03 between
04 about 05 with 06 like
07 among 08 without 09 from
10 into 11 along 12 around

[해석]
01 방과 후에 박물관에 가자.
02 너는 언제 뉴욕으로 떠날 거니?
03 그 차와 자전거 사이에 나무가 있다.
04 그는 한국문화에 대해 나에게 질문했다.
05 긴 꼬리를 가진 그 개는 내 것이다.
06 그들은 프로야구선수들처럼 보인다.
07 Mike는 4명의 소년들 사이에서 가장 키가 작다.
08 우리는 그의 도움 없이 그 프로젝트를 끝낼 수 없다.
09 여기서 공항까지 얼마나 걸리니?
10 Michelle은 빵을 좀 사기 위해 빵집으로 달려갔다.

11 그녀와 나는 해변을 따라 걷는 것을 좋아한다.
12 그 쇼핑몰 주변에는 지하철이 없다.

❹ 01 Jessie와 나는 산을 걸어 내려왔다.
02 크리스마스트리 아래 선물상자들이 있다.
03 Susan이 언덕을 올라가고 있다.
04 그녀는 커다란 나무 옆에 서 있다.
05 탑 뒤에 있는 소녀는 누구니?
06 내 부모님은 강을 따라 걷는 것을 좋아하신다.
07 David는 정오에 그의 사무실로 돌아왔다.
08 Tom은 그의 책을 머리 위로 들어 올렸다.
09 이 컴퓨터 게임은 10대들에게 매우 인기가 있다.
10 너는 그 돈으로 무엇을 할 거니?
11 그릇에 물을 좀 넣어라.
12 그는 벽 위에 뭔가를 썼다.

Actual Test

01 ② 02 ⑤ 03 ⑤ 04 ③ 05 ①
06 ② 07 ③ 08 ① 09 ⑤ 10 ④
11 ⑤ 12 ④ 13 ④ 14 ⑤ 15 ⑤
16 after 17 in 18 next 19 for, at
20 1) out of/from 2) under

[해석 및 해설]
01 그에 대한 소문은 전국으로 퍼졌다.
　 ② ~을 가로질러 ③ ~아래에
02 재사용할 수 있는 물건들은 재활용 휴지통에 넣어라.
03 저 두 자동차의 차이점은 무엇이니?
　 *between은 일반적으로 '둘 사이에' 사용한다.
04 우리는 공기 없이 살 수 없다.
05 너는 지도 위에서 병원을 찾을 수 있니?
　 그의 사무실은 그 식당 오른쪽에 있다.
　 *on은 '~ 위에(표면에 닿은 상태)'나 방향 앞에 쓰인다.
06 나는 아시아 음식에 대한 다큐멘터리를 보고 있다.
　 그들은 기말시험에 대해 얘기하고 있다.
07 그들 중 누가 키가 제일 크니?
　 그것은 멕시코사람들에게 인기 있는 음식이다.
　 *among은 '~중에'라는 의미로 일반적으로 셋 이상
　 사람이나 물건 앞에 온다.
08 쇼핑몰은 월요일에 열지 않는다.
　 11월 10일에 음악회가 있다.
　 *특정일이나 요일 앞에는 on을 쓴다.
09 ① Jane은 국수를 싫어한다.

② 너는 Jane을 좋아하니?

③ 나는 농구하는 것을 좋아한다.

④ 너는 무엇을 가장 좋아하니?

⑤ 나는 김치와 비빔밥 같은 한국음식을 좋아한다.

*⑤는 전치사 나머지는 동사이다.

10 그는 버스 타고 회사에 간다.

그 강은 정글을 통과해서 흐른다.

*교통수단은 by이고, '통과하다'는 의미의 전치사는 through이다.

11 *특정 기간 앞에는 during을 쓰고 기간을 나타내는 구체적인 수 앞에는 for를 쓴다.

12 내일까지 비가 올 것이다.

너는 언제 오스트리아로 떠나니?

*until은 '~까지'라는 의미로 계속의 의미를 담고 있고, '~로 향하다'라는 전치사는 for이다.

13 ① 나는 월요일마다 수영을 한다.

② 그는 8시에 뉴욕에 도착했다.

③ 그녀는 2011년 서울로 이사 왔다.

④ 이 기차는 부산행이니?

⑤ 7월에 비가 많이 온다.

*'~로 향하다'라는 전치사는 for이다.

14 ① 나는 30분간 휴식했다.

② 낮에는 매우 덥다.

③ 우리는 서울에 한 달간 머물렀다.

④ 그녀는 수업시간 동안 많은 질문을 했다.

⑤ 곰은 겨울 동안 잠을 잔다.

*특정 기간 앞에는 during을 쓴다.

15 ① 나는 겨울에 태어났다.

② 나는 아침에 수학수업이 있다.

③ 그들은 수영장에서 수영하고 있었다.

④ 우리는 3월에 새학기를 시작한다.

⑤ 미국인들은 추수감사절에 칠면조를 먹는다.

*나머지는 in ⑤는 on이 필요하다. on는 특별한 날에 쓰인다.

16 *저녁식사 후 산책을 했으므로 after가 와야 한다.

17 태국에 강한 강풍이 있었다.

그는 4월에 컴퓨터를 샀다.

한국은 2002년에 월드컵을 개최했다.

*in은 달 / 년도 / 계절/ 넓은 장소 앞에 쓰인다.

18 학교 옆에 서점이 있다.

너는 그것을 쉽게 찾을 수 있다.

*next to ~옆에

19 그는 건강을 위해 우유를 마신다.

여섯시에 데리러 올게.

*for ~을 위하여

*정확한 시간 앞에는 전치사 at이 온다.

Chapter 06. 접속사

Unit 01. 등위접속사

Warm up

01 but	02 or	03 or
04 and	05 but	06 and
07 but	08 but	09 and
10 and	11 or	12 but

[해설]

01 *대조되는 내용을 연결할 때는 but을 사용한다.

05 *대조되는 내용을 연결할 때는 but을 사용한다.

07 *대조되는 내용을 연결할 때는 but을 사용한다.

08 *대조되는 내용을 연결할 때는 but을 사용한다.

09 *비슷한 내용을 연결할 때는 and를 사용한다.

Start up

❶
01 and	02 but	03 but
04 and	05 and	06 and
07 but	08 but	09 or
10 or	11 and	12 or

[해석]

01 Mike와 Jenny는 브라질에서 왔다.

02 나는 초콜릿은 좋아하지만 아이스크림은 좋아하지 않는다.

03 그의 자동차는 오래되었지만 아직 괜찮아 보인다.

04 Kevin은 이를 닦고 잠을 잤다.

05 그는 시장에서 약간의 사과와 포도를 샀다.

06 열심히 공부해라, 그러면 좋은 점수를 얻을 것이다.

07 나는 너를 기억하지만 너는 나를 기억하지 못한다.

08 그녀는 빠르게 달렸지만 경기에 승리하지 못했다.

09 야구와 축구 중 어느 것을 좋아하니?

10 너는 지금 또는 조금 후에 집에 가도 좋다.

11 이 약을 먹어라, 그러면 좋아질 것이다.

12 그를 지금 깨워라, 그렇지 않으면 하루 종일 잘 것이다.

❷ 01 and   02 and   03 or / and
04 or   05 or   06 but
07 but   08 but   09 or
10 and   11 but   12 and

[해석]

01 휴식을 취해라, 그러면 기분이 좋아질 것이다.

02 Lisa는 쿠키를 사서 친구들에게 주었다.

03 우리는 점심으로 카레라이스나 국수를 먹을 수 있다.

04 너는 큰 가방을 살 거니 아니면 작은 가방을 살 거니?

05 그는 야구선수니 또는 축구선수니?

06 나는 공부를 열심히 했으나 점수가 좋지 않았다.

07 그 문제를 풀려고 했지만 내겐 너무 어려웠다.

08 나는 그녀를 방문했지만 그녀는 집에 없었다.

09 코트를 입어라, 그렇지 않으면 감기에 걸릴 것이다.

10 열심히 일해라, 그러면 성공할 것이다.

11 Jennifer는 고양이를 좋아하지만 고양이를 키우지는 않는다.

12 친절해라, 그러면 많은 친구들을 사귀게 될 것이다.

Check up & Writing

❶ 01 but   02 or   03 and
04 or   05 but   06 and
07 or   08 or   09 but
10 and   11 or   12 or
13 but   14 but   15 or

[해석]

01 내 여동생은 키가 작지만 농구를 잘한다.

02 그 소녀는 4살이나 5살일 것이다.

03 아버지는 운전을 천천히 조심스럽게 하신다.

04 너는 미국인이니 캐나다인이니?

05 나는 다시 자려 했으나 그럴수 없었다.

06 Amy는 언니 한 명과 남동생 두 명이 있다.

07 소고기와 닭고기 중 어느 것이 좋으니?

08 음식을 좀 먹어라, 그렇지 않으면 배가 고플 것이다.

09 나는 어제 박물관에 갔지만 박물관은 잠겨 있었다.

10 Jessica는 키가 크고 아름답다.

11 지금 출발해라, 그렇지 않으면 기차를 놓칠 것이다.

12 집에 있을래 아니면 나가서 놀래?

13 Jenny는 운전을 할 수 있지만 James는 할 수 없다.

14 Sara는 일찍 일어났지만 학교에 지각했다.

15 운동을 해라, 그렇지 않으면 뚱뚱해질 것이다.

❷ 01 cold and windy today
02 but my sister doesn't like it
03 or you will feel tired
04 this car yours or your father's
05 but we have no vacancy
06 stay at home and watch TV
07 or you will make a mistake
08 smart but lazy
09 but its quality is good
10 and you'll find the bookstore
11 but she didn't send it
12 a nurse or a doctor

Unit 02. 시간, 이유, 결과 접속사

Warm up

01 because   02 so   03 When
04 before   05 before   06 so
07 while   08 until   09 As
10 while   11 when   12 when
13 until   14 before   15 so

Start up

❶ 01 until   02 When   03 As
04 Because   05 while[as]   06 until
07 so   08 until   09 While[As]
10 because   11 so   12 until

❷ 01 When   02 while[as]   03 after
04 While[As]   05 so   06 When[As]
07 until   08 while[when]   09 so
10 because   11 as   12 until

Check up & Writing

❶ 01 before   02 While[As]   03 When
04 until   05 As   06 because
07 so   08 after   09 When

10 because of   11 until   12 so

❷ 01 Because the movie was boring
   02 When you play sports
   03 so I couldn't go to school
   04 because he is honest
   05 When I was a child
   06 While[As] she was watching the movie
   07 so I can't move it alone
   08 when you climb a mountain
   09 As she grew older
   10 until the movie was over
   11 While[As] Sam was eating dinner
   12 after he got a job

Unit 03. 조건, 양보, 상관 접속사

Warm up

01 Though   02 if   03 In spite of
04 as well as   05 nor   06 have
07 or   08 unless   09 Although
10 Despite   11 but also   12 gets up
13 unless   14 neither   15 Either

[해석 및 해설]
01 그녀는 가난하지만 행복하다.
02 계속 한국말을 하면 너는 영어실력을 향상시킬 수 없다.
03 그녀의 노력에도 불구하고 그녀는 목표를 이루지 못했다. *in spite of 다음에는 명사나 명사구가 온다.
04 그는 영어뿐만 아니라 중국어도 할 수 있다.
05 그와 너 모두 틀리지 않다.
06 너와 너의 엄마 모두 내일 그곳에 가야 한다.
07 그 또는 그의 아내가 우리를 도울 것이다.
08 더 빨리 걷지 않으면 기차를 놓칠 것이다.
09 그는 열심히 공부했지만, 좋은 점수를 받지 못했다.
10 비가 많이 왔음에도 우리는 어제 축구를 했다.
   *despite 다음에는 명사나 명사구가 온다.
11 그녀는 Peter에게 옷뿐만 아니라 돈을 주었다.
12 그들뿐만 아니라 그녀도 아침에 일찍 일어난다.
13 네가 원하지 않으면 회의에 참여할 필요 없다.
14 나는 개도 고양이도 없다.
15 나와 Donovan 중 한 명이 세미나에 참석할 것이다.

Start up

❶ 01 Both   02 not only   03 Either
   04 as well as   05 Although   06 if
   07 neither   08 unless   09 as well as
   10 nor   11 or   12 In spite of

[해석]
01 그의 엄마와 아빠 모두 책 읽는 것을 좋아하신다.
02 Sara는 야구뿐만 아니라 농구도 잘한다.
03 Sam과 나 둘 중 한 사람이 그 아이들을 돌봐야 한다.
04 이 영화는 중국뿐만 아니라 한국에서도 매우 인기가 있다.
05 그가 가난함에도 나는 그를 매우 사랑한다.
06 네가 원하면 여기서 나와 지내도 된다.
07 그들은 5일 동안 먹지도 마시지도 않았다.
08 더 이상 질문이 없으면 너는 집에 가도 된다.
09 그녀는 교사일 뿐만 아니라 시인이기도 하다.
10 그와 나 누구도 교복을 입을 필요가 없다.
11 Amy는 내년에 영어 또는 중국어를 배울 것이다.
12 노력했지만 우리는 우승을 하지 못했다.

❷ 01 and   02 as well as   03 but also
   04 either   05 Unless   06 Not only
   07 though   08 if   09 but
   10 Though   11 if   12 or

[해석]
01 Jake와 나는 한국인이다.
02 그는 패션 디자이너일 뿐 아니라 재능 있는 화가이다.
03 Cathy는 영리할 뿐 아니라 아름답다.
04 한국인들은 음식을 먹기 위해 젓가락이나 스푼을 사용한다.
05 더욱 열심히 공부하지 않으면, 좋은 점수를 받을 수 없다.
06 빨간색뿐만 아니라 초록색도 너에게 어울린다.
07 그는 미국에 살고 있음에도 영어를 못한다.
08 당신이 그녀에게 사과하지 않으면 그녀는 너를 용서하지 않을 것이다
09 그녀는 선생님이 아니라 의사이다.
10 Tom은 어리지만 과학을 잘한다.
11 지금 기차를 타면 너는 서울에 제시간에 도착할 것이다.
12 나는 내일 James나 Jennie를 만날 것이다.

Check up & Writing

①
01 내일 비가 오지 않으면 우리는 소풍을 갈 것이다.
02 담배를 끊지 않으면, 너는 암에 걸릴 것이다.
03 내 삼촌은 매우 나이가 많으시지만 매우 건강하시다.
04 그의 개는 크지도 작지도 않다.
05 택시를 타지 않으면 회의에 늦을 것이다.
06 다시 이 일을 저지를 경우 너는 처벌받을 것이다.
07 Peter는 비록 미국인지만 그는 한국문화에 대해 매우 잘 안다.
08 지금 컴퓨터 게임을 중단하지 않으면 너는 저녁식사 전에 숙제를 마칠 수 없다.
09 아버지는 아침을 먹는 동안 신문을 읽으셨다.
10 너나 Kevin 둘 중 한 사람은 거실을 청소해야 한다.
11 그와 나 둘 다 영어를 유창하게 할 수 있다.
12 그와 나 모두 Sara보다 높이 점프할 수 없다.

②
01 if it is too cold
02 wear both pants and a skirt
03 unless you eat pizza now
04 Neither he nor Sam lives
05 novels as well as poets
06 not only body but also mind
07 Though it snowed a lot yesterday
08 Not only Sam but also Peter wants
09 Neither the teacher nor the students
10 a bike but a computer
11 if you work hard
12 unless you wear a coat

Level up

①
01 but also	02 so	03 If
04 Though	05 Unless	06 until
07 or	08 or	09 Though
10 if	11 but	12 because

[해석 및 해설]
01 그녀는 내게 동전들뿐만 아니라 물 한 병을 주었다.
02 그 상점이 닫혀 있어서 나는 셔츠를 살 수 없었다.
　　*결과가 왔으므로 because 대신 so가 와야 한다.
03 drugstore. 모퉁이에서 오른쪽으로 돌면 너는 약국을 찾을 것이다.
　　*조건을 나타내는 접속사 if가 와야 한다.
04 비록 내가 지난주 그 영화를 보았지만 나는 다시 보

고 싶다. *내용상 양보를 나타내는 접속사 though가 와야 한다.
05 지금 출발하지 않으면 통학 버스를 놓칠 것이다.
06 나는 60살까지 신문을 배달할 것이다.
07 6시까지 이것을 끝내라, 그렇지 않으면 너는 곤란해질 것이다. *「명령문+or」 다음에는 부정적인 결과가 온다.
08 문을 잠가라, 그렇지 않으면 도둑이 들어올 것이다.
09 비는 그쳤으나 바람은 아직 불고 있다.
10 이 알약들을 먹으면 기분이 좋아질 것이다.
　　*조건을 나타내는 접속사 if가 와야 한다.
11 그녀는 의사가 아니고 간호사이다.
12 그녀는 아침에 어지러워서 그 벽을 칠하지 않았다.

②
01 before	02 until	03 want
04 like	05 has to	06 because
07 or	08 but	09 Though
10 am	11 so	12 if

[해석 및 해설]
01 길을 건너기 전에 신호등을 보아라.
02 우리는 매니저가 돌아올 때까지 쉴 것이다.
03 Jane과 Kevin은 점심으로 피자를 먹기를 원한다.
04 그녀뿐만 아니라 그녀 여동생들도 코미디 영화를 좋아한다. *수 일치를 her sisters에 맞춰야 하므로 like가 와야 한다.
05 Jenny와 그녀의 여동생 중 한 명이 스미스 씨를 기다려야 한다. *수 일치를 her sister에 맞춰야 하므로 has to가 와야 한다.
06 Amy는 고기와 생선을 먹지 않는다, 왜냐하면 그녀는 채식주의자이다.
07 나는 스파게티나 피자가 먹고 싶다.
　　*either가 왔으므로 or가 되어야 한다.
08 그는 파리를 방문했을 때 호텔이 아닌 삼촌 집에 머물렀다.
　　*not A but B: A가 아니라 B
09 비록 그의 남동생은 영리하지만 그는 게으르다.
10 Jim뿐만 아니라 나도 매우 피곤하다. 왜냐하면 어제 밤을 새웠다.
　　*수일치를 I에 맞춰야 하므로 is 대신 am이 와야 한다.
11 나는 악몽을 꾸어서 잠을 잘 자지 못했다.
　　*결과가 왔으므로 because 대신 so가 와야 한다.

12 기름진 음식을 줄이면 너는 건강할 것이다.

❸ 01 so she can't buy a car
02 Amy nor Jack likes math
03 not only her purse but also her ID
04 Though he didn't study hard
05 when he talked with his mom
06 he and my mom are worried about my friends
07 at the airport before the plane took off
08 if it does not rain tomorrow
09 when my father passed away / My father passed away
10 a golfer but a baseball player

[해설]
01 Alice는 가난해서 차를 살 수 없다.
02 Amy도 Jack도 수학을 좋아하지 않는다.
03 Jessie는 나에게 그녀의 지갑뿐만 아니라 그녀의 신분증까지 보여줬다.
04 비록 그는 열심히 공부하지 않았지만 그는 수학에서 만점을 받았다.
05 Richard는 엄마와 이야기하면서 전화를 받았다.
06 그와 나의 엄마 모두 내 친구들에 대해 걱정한다.
07 비행기가 이륙하기 전에 그들은 공항에 도착했다.
08 내일 비가 오지 않으면 우리는 해변에 갈 것이다.
09 아버지가 돌아가실 때 나는 13살이었다. / 내가 13살 때 아버지가 돌아가셨다.
10 Jessie는 골프선수가 아니라 야구선수이다.

❹ 01 그녀를 사랑하지 않는다면 그녀 결혼하지 마라.
02 그를 믿지 마라. 그렇지 않으면 너는 많은 돈을 잃을 것이다.
03 Jake는 그림도 잘 그릴뿐만 아니라 노래도 잘한다.
04 그녀는 그 당시에 그녀의 방에도 정원에도 없었다.
05 Lisa는 지금 매우 바빠서 너를 만날 수 없다.
06 내가 전화 통화 중일 때 Sam이 내 방에 들어왔다.
07 그는 아침을 먹지 않았지만 지금 배가 고프지 않다.
08 우리는 우승할 때까지 계속 노력할 것이다.
09 최선을 다해라, 그러면 너의 꿈이 이루어질 것이다.
10 우리는 너에게 돈이나 선물 중 하나를 줄 것이다.
11 아픔에도 불구하고 Jessica는 오늘 학교에 갔다.
12 네가 나의 의견에 동의하지 않으면 나는 그의 제안을 받아들이지 않을 것이다.

Actual Test

01 ⑤	02 ①	03 ③	04 ④	05 ⑤
06 ②	07 ④	08 ⑤	09 ①	10 ②
11 ④	12 ②	13 ①	14 ⑤	15 ①

16 so   17 1) If 2) so 3) Because
18 when 19 1) not only handsome but also smart 2) Unless   20 am → are

[해석 및 해설]
01 네가 오기 전에 나는 저녁식사 준비를 할 것이다.
02 그녀는 중국어뿐만 아니라 영어도 배운다.
03 Julie는 두통이 있어서 그 알약을 먹었다.
04 내일 내가 바쁘지 않으면 너를 도와줄 것이다.
05 그가 화나 있을 때 그에게 말하지 마라.
   내가 숙제를 끝냈을 때 9시였다.
06 길을 건너는 동안 나는 그 자전거를 보지 못했다.
   나는 자는 동안 큰 굉음을 들었다.
07 비록 비가 오고 있었지만 우리는 축구를 했다.
   *In spite of 다음에는 명사나 동명사가 온다.
08 원치 않으면 너는 그것을 할 필요 없다.
09 *A as well as B는 A에 수를 일치시키므로 get up을 gets up으로 바꿔야 한다.
   *both A and B는 복수 취급한다.
11 날씨가 매우 더웠음에도 그는 에어컨을 켜지 않았다.
12 ① 사진 찍을 때 움직이지 마라.
   ② 사고가 언제 일어났니?
   ③ 비가 오면 나는 우비를 입는다.
   ④ 그가 공원에 갔을 때 많은 새들을 봤다.
   ⑤ 내가 학교 갈 때 내 동생은 샤워한다.
   *②는 의문사 나머지는 접속사이다.
14 *despite는 전치사로 뒤에 명사나 동명사가 온다.
15 나는 지갑을 잃어버려 어제 집까지 걸어와야 했다.
   나는 집에 걸어와야 해서 매우 피곤했다.
16 그녀가 내게 거짓말을 해서 나는 화가 났다.
   *so 다음에는 결과가 because 다음에는 직접적인 원인, 이유가 온다.
17 1) 네 비밀을 말해주면 내 비밀을 얘기해 줄 것이다.
   2) 나는 늦게 일어나서 학교에 택시 타고 갔다. *결과
   3) 날씨가 너무 더워서 나는 해변에 갔다.
      *직접적인 이유
18 내가 집에 도착했을 때 그는 TV를 보고 있었다.
   나는 어렸을 때 작은 마을에 살았다.
19 1) Tom은 잘생겼을 뿐만 아니라 영리하다.

2) 너는 공원에 가기를 원치 않으면 집에 있어도 된다.

20 나뿐만 아니라 너도 사고에 책임이 있다.

　　*A as well as B는 A에 수를 일치시킨다.

Review Test

❶ 01 Jake was helped by a lot of students.

02 He will be invited to the party by her.

03 It was found expensive by us.

04 He was brought to the party by me.

05 Was the door locked yesterday by her?

06 She was given some water by John. /
　　Some water was given to her by John.

07 The fence is being painted by Jessica.

08 Was the picture of him taken by you?

09 She was made happy by them.

10 Your room should be kept clean by you.

11 The movie is loved by many children.

12 The letter was not written by her.

[해석]

01 많은 학생들이 Jake를 도왔다.

02 그녀는 파티에 그를 초대할 것이다.

03 우리는 그것이 비싼 것을 알았다.

04 나는 파티에 그를 데리고 갔다.

05 그녀는 어제 문을 잠갔니?

06 John은 그녀에게 물을 좀 줬다.

07 Jessica는 그 울타리를 칠하고 있다.

08 너는 그의 사진을 찍었니?

09 그들은 그녀를 행복하게 만들었다.

10 너는 네 방을 깨끗하게 유지해야 한다.

11 많은 아이들이 그 영화를 사랑한다.

12 그녀는 그 편지를 쓰지 않았다.

❷ 01 with　　02 with　　03 with

04 for　　　05 as　　　06 about

07 in

[해석]

01 로비가 사람들로 가득 찼다.

02 그 산은 항상 눈으로 덮여 있다.

03 그는 내 대답에 만족했다.

04 그 나라는 축제로 유명하다.

05 저 남자는 한국에서 위대한 가수로 알려져 있다.

06 그는 가족의 건강에 대해 걱정한다.

07 그 공원은 도시 중심에 위치해 있다.

❸ 01 at　　　02 for　　　03 into

04 about　　05 on　　　06 among

07 without

[해석]

01 나는 밤에 커피를 마시지 않는다.

02 그녀는 친구들을 위해 쿠키를 좀 샀다.

03 사람들이 사무실 안으로 쏟아 들어가기 시작했다.

04 우리는 대략 10분 동안 버스를 기다리고 있다.

05 나는 월요일에 면접이 있다.

06 Jennie는 다섯 소녀들 중에서 가장 영리하다.

07 우리는 네 도움 없이 테이블을 옮길 수 없다.

❹ 01 between　02 like　　03 beside

04 across　　05 over　　06 with

07 to　　　08 along　　09 out of

10 behind　11 in front of　12 between

❺ 01 너나 Tom 둘 중 하나는 그 문제를 해결해야 한다.

02 그와 나 둘 다 요리에 관심이 있다.

03 그와 나 모두 운전을 할 수 없다.

04 한국뿐만 아니라 일본도 월드컵을 개최하기를 원했다.

05 그녀는 Sam을 좋아하지 않았지만 그들 도와주었다.

06 그녀는 버스를 기다리는 동안 책을 읽었다.

07 그는 자라면서 책 읽는 것을 좋아했다.

08 날씨가 너무 추워서 음악회가 취소되었다.

09 나는 네가 결정할 때까지 여기서 기다릴 것이다.

10 어젯밤 공부하는 동안 나는 라디오를 들었다.

11 택시를 타지 않으면 음악회에 늦을 것이다.

12 Julie와 Cindy 모두 런던에 가본 적이 있다.

❻ 01 after　　02 so　　　03 drinks

04 if　　　05 have to　06 Though

07 unless　　08 or　　　09 but

10 is　　　11 because　12 has to

[해설]

03 *수 일치를 Ted에 맞춰야 하므로 drinks가 와야
　　한다.

04 *unless 문장에 not이 있으므로 if가 와야 한다.

05 *Both A and B는 복수동사가 와야 한다.

10 *수 일치를 The teacher에 맞춰야 하므로 are 대
　　신 is가 와야 한다.

11 *because다음에 원인이나 이유가 와야 한다.

12 *수 일치를 she에 맞춰야 하므로 have to 대신
　　has to가 와야 한다.

01 ①　02 ①　03 ⑤　04 ④　05 ③
06 ③　07 ⑤　08 ②　09 ②　10 ③
11 ⑤　12 ③　13 ④　14 ⑤　15 ③
16 ③　17 ⑤　18 ③　19 ⑤　20 ④
21 ①　22 ⑤　23 during / for
24 1) on 2) in 3) in 4) at
25 A cheese cake is being made by my mom.
26 Their pictures were shown to him by them.
　/ He was shown their pictures by them.
27 모퉁이에서 오른쪽으로 돌면 서점을 찾을 것이다. [서점이
　보일 것이다.]
28 Both　29 Neither, nor　　30 as well as

[해석 및 해설]
01 내가 부산에 있는 동안, 그를 만났다.
02 나는 지난주 나의 가족과 함께 공원에 갔다.
03 그 남자와 그의 아들은 둘 다 교사이다.
04 영어는 전 세계에서 말해진다.
　*수동형 문장이므로 과거분사가 필요하다.
05 그녀는 시험결과에 만족해했다.
　*be satisfied with ~에 만족하다
06 샤워를 하는 동안 전화기가 울렸다.
07 조깅은 네 건강을 위해 좋다.
　영화는 6시에 시작한다.
　*for ~을 위해, at 정확한 시간 앞에
08 그들은 내가 바로 그들처럼 의사가 되기를 원한다.
　너는 밤에 커피를 마시면 안 된다.
09 나는 이가 아플 때 치과에 간다.
　너는 여가시간에 뭐하니?
10 너는 언제 프랑스로 떠날 거니?
　그 의자는 그를 위해 만들어졌다.
11 ① for　② during　③ on　④ during
　*fall 떨어지다. *while ~하는 동안
12 ① is → was
　② hit의 과거분사는 hit이다.
　*④, ⑤는 시제가 현재이므로 was를 is로 바꿔야 한다.
13 *④는 접속사 나머지는 의문사이다.
14 *⑤는 전치사이고 나머지는 동사이다.
　⑤ 나는 야구와 축구 같은 운동을 사랑한다.
15 *③ in 그 외는 with이다.
16 *이유를 나타내고 있으므로 Because가 와야 한다.
17 Ted는 나에게 장난감을 사줬다.

18 많은 사람들이 컴퓨터를 사용해 오고 있다.
　*시제가 현재완료이므로 「have+been+과거분사」의
　형태가 되어야 한다.
19 ⑤ during *특정기간에는 during, 숫자 앞에는 for를
　사용한다. 곰들은 겨울동안 잠을 잔다.
20 *In spite of는 전치사로 뒤에 명사나 동명사가 와
　야 한다. 따라서 in spite of 대신에 접속사 Though
　[Although]가 와야 한다.
21 *not only A but also B는 'A뿐만 아니라 B'도 라
　는 의미이다.
23 A: Sandy, 너는 방학 동안 무엇을 했니?
　B: 2주 동안 영어를 배웠어.
　*특정기간에는 during, 숫자 앞에는 for를 사용한다.
24 *요일 앞에는 on, 구체적인 시간 앞에는 at, 큰 장소
　앞에는 in을 쓴다.
25 엄마는 치즈케이크를 만들고 계시다.
26 그들은 그에게 그들의 사진을 보여주었다.
28 *Both A and B는 'A와 B 둘 다'라는 의미이다.
30 *A as well as B는 'B뿐만 아니라 A도'라는 의미이
　다.

01 ③	02 ①	03 ①	04 ⑤	05 ①
06 ②	07 ③	08 ④	09 ③	10 ③
11 ⑤	12 ①	13 ③	14 ①	15 ⑤
16 ④	17 ④	18 ②	19 ④	20 ③

21 Seeing   22 until   23 is called

24 baking   25 so

[해석 및 해설]

01 a lot of things을 수식하는 to부정사 와야 한다.

02 사람이 감정을 나타낼 때에는 주로 과거 분사가 쓰인다.

04 be filled with는 '~로 가득 차다'라는 의미이다.

06 동사 finish, enjoy는 동명사를 목적어로 취한다.

08 요일 앞에는 전치사 on이 온다.

09 동사 hope는 목적어로 to부정사를 취한다.

11 ⑤의 like는 전치사이고 나머지는 동사이다.

12 ① 이 집은 1920년에 지어졌다.

　② 그 집은 폭풍으로 부서졌다.

　③ 천명 이상의 사람이 구조되었다.

　④ 그 도시는 완전히 잊혀졌다.

　⑤ 몇몇 건물의 지붕이외는 모든 것이 매장되었다.

13 분사구문은 「동사원형+~ing」 형태이다.

　① 오른쪽으로 돌면 상점이 보일 것이다.

　② 나는 시간이 없어서 부모님을 방문 할 수 없다.

　③ 공항에 도착했을 때 나는 부모님께 전화를 드렸다.

　④ 영화에 관심이 있어서, 그는 감독이 되고 싶어 한다.

　⑤ 숙제를 마치고 나는 친구들을 만나러 나갔다.

14 내용상 접속사 though가 필요하다.

　옆집에 살지만 나는 그를 볼수 없다.

15 부사적 용법에서 목적의 의미를 갖는 것은 ⑤이다.

　⑤ 그녀는 중국어를 배우기 위해 중국에 갔다.

17 to부정사의 형용사적 용법을 찾는 문제로 ④의 I have nothing to eat now에서 to eat이 nothing을 수식하는 형용사적 용법이다.

19 ④의 It은 대명사이고 나머지는 가주어이다.

　① 이 자동차를 주차하는 것은 어렵다.

　② 헬멧을 착용하는 것이 안전하다.

　③ 자전거를 타는 것이 쉽니?

　④ 그것은 나에게 매우 중요하다.

　⑤ 거리에서 노는것은 위험하다.

21 분사구문을 만드는 문제로 When he saw me를

Seeing으로 바꾼다.

24 bake는 a man를 수식하는 현재분사 baking으로 바꾼다.

25 A: 너는 영어를 왜 그렇게 열심히 공부하니?

　B: 내일 시험이 있어서 열심히 공부해야 해.

01 ⑤	02 ②	03 ①	04 ②	05 ④
06 ②	07 ①	08 ①	09 ②	10 ②
11 ④	12 ⑤	13 ④	14 ②	15 ⑤
16 ①	17 ④	18 ③	19 ④	20 ⑤

21 Turning to the left   22 If

23 smoking   24 밤에 자전거를 타는 것을 위험하다.

25 It is important to have good friends.

[해석 및 해설]

01 feel like 다음에는 동명사[명사]가 온다.

02 그는 영어를 배우기 위해 미국에 갔다.

03 전치사 with는 '~와 함께'라는 의미를 가지고 있다.

04 동명사나 to부정사는 주어 역할을 할 수 있다.

06 keep on+-ing는 '계속해서 ~하다'라는 의미이다.

09 동명사를 목적어 취하는 동사가 와야 하므로 want는 올 수 없다. 동사 want는 to부정사를 목적어로 취한다.

10 can't help+-ing는 '~하지 않을 수 없다'라는 의미이다.

11 주격보어로 쓰인 동명사는 to부정사로 바꿔 쓸 수 있다.

13 ④의 They are having dinner in the restaurant. 에서 having은 현재 분사이고 나머지는 모두 동명사이다.

14 ②는 to부정사의 명사적 용법이고 나머지는 부사적 용법이다.

　① 나는 휴식하기 위해 집으로 갔다.

　② 그녀는 쿠키를 굽기를 원했다.

　③ 그녀는 동물들을 보기 위해 공원에 갔다.

　④ Jack은 컴퓨터를 고치기 위해 그녀의 집에 갔다.

　⑤ 나는 사과를 사기 위해 시장에 갈 것이다.

15 주어진 문장은 '애완동물을 사기전에 신중히 생각하

라.'라는 의미로 to buy는 명사적 용법이다.

① James has a lot of work to do.
  – 형용사적 용법

② He gets up early to study. – 부사적 용법(목적)

③ Susan was happy to hear the news.
  – 부사적 용법(감정의 원인)

④ He grew up to be a doctor. – 부사적 용법(결과)

⑤ I like to cook. – 명사적 용법

16 ①의 excited는 exciting로 바꿔야 한다.

17 ④의 surprising은 surprised로 바꿔야 한다.

18 hurt의 과거분사는 hurt이다.

20 for는 시간 단위 명사 앞에 during은 명사 앞에 사용한다.

22 내게 진실을 말하면, 너를 용서할게.

23 give up은 동명사를 목적어로 취한다.

① 보는 것이 믿는 것이다.

② 야구경기를 하는 것은 나의 삶이다.

③ 나의 취미는 컴퓨터 게임을 하는 것이다.

④ 매주 일요일 Jane은 승마를 즐긴다.

⑤ 무대 위에서 춤추는 소녀들을 보아라.

14 keeping은 동명사이고 나머지는 현재 분사이다.

② 교통법규를 지키는 것은 중요하다.

15 '너는 여가시간에 무엇을 하니?'라는 의미로 밑줄 친 부분은 접속사(시간)이다.

④는 접속사, 이외에 나머지는 모두 의문사이다.

16 '해야 할 일이 많이 있었다'라는 의미로 형용사적 용법이다.

17 동사 hope은 목적어로 to부정사가 온다. 따라서 meeting을 to meet로 바꿔야 한다.

23 이유를 나타내는 분사구문이다. (As/Because I was tired)

25 문장 구조상 가주어 It이 필요하다.

실전모의고사 ❸

01 ①	02 ③	03 ②	04 ③	05 ③
06 ②	07 ⑤	08 ⑤	09 ④	10 ①
11 ③	12 ②	13 ⑤	14 ②	15 ④
16 ②	17 ①	18 ②	19 ②	20 ①

21 when   **22** I cannot help reading it.

23 나는 피곤해서 일찍 잠을 잤다.

24 until   **25** It

[해석 및 해설]

02 It은 가주어 이므로 to부정사의 진주어가 필요하다.

03 dislike는 동명사를 목적어로 취한다.

04 패스트푸드 식당은 그 도시에서 쉽게 발견된다.
수동태 문장이므로 find의 과거분사 found가 와야 한다.

06 for는 ~를 위해, by ~ 까지

07 컴퓨터 게임을 하는 것은 재미있다.
연구자들은 그 발견에 놀랐다.

08 promise는 to부정사를 목적어로 취한다. 나머지는 모두 동명사를 목적어로 취하는 동사이다.

10 내용상 조건을 나타내는 접속사 If가 와야 한다.

13 dancing은 girls을 수식하는 현재 분사이고 나머지는 동명사이다.

Chapter 01. to부정사

Unit 01. to부정사의 명사적 용법

Warm up

01 write	02 to become	03 to watch
04 read	05 to sell	06 to study
07 not to play	08 go	09 to
10 swim	11 It	12 to make

[해설]

01 *decide 다음에는 「to+동사원형」이 와서 목적어 역할을 한다.

07 *to부정사의 부정은 「not+to 동사원형」의 형태로 쓴다.

Start up

❶

01 목적어	02 보어	03 목적어
04 주어	05 목적어	06 보어
07 목적어	08 보어	09 주어
10 목적어	11 주어	12 목적어
13 보어	14 목적어	15 주어

[해석]

01 그는 유럽에 가기로 결심했다.

02 그의 소망은 작가가 되는 것이다.

03 그들은 일찍 떠나기로 계획했다.

04 영화를 보는 것이 나의 취미이다.

05 나는 테니스 클럽에 가입하기를 원한다.

06 그녀의 취미는 사진을 찍는 것이다.

07 그는 내년에 금연하기로 약속했다.

08 우리의 임무는 무고한 시민들을 보호하는 것이다.

09 외국어를 배우는 것은 어렵다.

10 Jeff는 책 읽는 것을 좋아한다.

11 박물관을 방문하는 것은 매우 재미있다.

12 Sam은 질문에 대답하는 것을 거절했다.

13 그녀의 직업은 야채를 판매하는 것이다.

14 너는 휴식을 취할 필요가 있다.

15 야구 경기를 보는 것은 재미있다.

❷

01 목적어	02 목적어	03 보어
04 목적어	05 주어	06 주어
07 보어	08 목적어	09 주어

10 목적어	11 목적어	12 목적어
13 목적어	14 보어	15 주어

[해석]

01 나는 곧 그녀를 만나기를 희망한다.

02 그녀는 안경을 쓸 필요가 있다.

03 나의 계획은 파일까지 이 보고서를 마치는 것이다.

04 나는 그 소설을 읽기로 결심했다.

05 롤러코스터를 타는 것은 재미있다.

06 치과에 가는 것이 두렵다.

07 그의 꿈은 돈을 많이 버는 것이다.

08 우리는 점심식사로 국수를 먹기를 희망한다.

09 관광객을 안내하는 것이 나의 직업이다.

10 Ted는 나를 도와주기로 약속했다.

11 우리는 파티를 위해 사과를 좀 사기를 원한다.

12 그는 Jane과 춤추는 것을 좋아한다.

13 그는 나를 보호하려고 했다.

14 나의 소망은 부모님과 함께 사는 것이다.

15 트럭을 운전하는 것은 쉽지 않다.

Check up & Writing

❶

01 how	02 where	03 how
04 when	05 how	06 what
07 when	08 how	09 what
10 what	11 how	

❷

01 is to be a famous actor

02 how to lose weight

03 not to eat fast food

04 To get up early

05 how to use this machine

06 what to tell Kevin

07 where to put this vase

08 where to park my car

09 to become a good diplomat

10 likes to play computer games

11 to finish the homework before dinner

12 not to join the reading club

GRAMMAR JOY MENTOR

정답 및 해설

정답 — 및 — 해설

MENTOR

plus 3

그래머
멘토
조이
플러스
셋

MENTOR

GRAMMAR

정답
및
해설

JOY

plus 3

PEARSON
Longman

ALWAYS LEARNING

PEARSON

Longman

그래머
멘토
조이
플러스
셋

MENTOR

GRAMMAR

Vocabulary
미니북

JOY

plus 3

PEARSON
Longman

ALWAYS LEARNING

PEARSON

GRAMMAR JOY MENTOR

Vocabulary 미니북

plus 3

to부정사

01	wisely 현명하게 [wáizli]	Let's learn how to use our time wisely. 우리의 시간을 현명하게 사용하는 방법을 배우자.
02	innocent 무고한, 순결한 [ínəsənt]	They don't hurt innocent people. 그들은 선량한 시민을 해치지 않는다.
03	competitor 경쟁자 [kəmpétitər]	They couldn't beat any competitors. 그들은 어느 경쟁자도 이길 수 없었다.
04	accommodate 수용하다 [əkámədèit]	The room can't accommodate 30 people. 그 방은 30명을 수용할 수 없다.
05	participate 참석하다 [paːrtísəpèit]	I don't want to participate in the meeting. 우리는 그 회의에 참석하고 싶지 않다.
06	impossible 불가능한 [impásəbl]	It is impossible to change the plan. 그 계획을 변경하는 것은 불가능하다.
07	disappointed 실망한 [dìsəpɔ́intid]	Jane was disappointed to fail the test. Jane은 시험에 떨어져서 실망했다.
08	abroad 해외에 [əbrɔ́ːd]	My dream is studying abroad. 나의 꿈은 해외에서 공부하는 것이다.
09	beat 물리치다 [biːt]	We are strong enough to beat any competitors. 우리는 어느 경쟁자도 이길 만큼 충분히 강하다.
10	destroy 파괴하다 [distrɔ́i]	His house was destroyed by the storm. 그의 집은 폭풍우로 파괴되었다.
11	herb 약초 [əːrb]	The old man knew enough about this herb. 그 노인은 그 약초에 대해서는 충분히 알고 있었다.
12	lift 들어 올리다 [lift]	The boy was strong enough to lift the rock. 그 소년은 충분히 강해서 그 바위를 들 수 있었다.
13	loss 손실, 사망 [lɔ(ː)s]	I am sorry to hear about the loss of your mother. 네 어머니가 돌아가셨다는 소식을 듣게 되어 유감이다.
14	refuse 거절하다 [réfjuːs]	They refused to answer the question. 그들은 그 질문에 대답하기를 거절했다.
15	trust 믿다, 신뢰하다 [trʌst]	She needs someone to trust. 그녀는 믿을 수 있는 누군가가 필요하다.

16	attend 참석하다 [əténd]	They have to attend the meeting. 그들은 회의에 참석해야 한다.
17	ceremony 의식 [sérəmòuni]	We were excited to participate in the opening ceremony. 우리는 개회식에 참석하게 되어 신이 났다.
18	citizen 시민 [sítizən]	Our duty is to protect innocent citizens. 우리의 임무는 무고한 시민들을 보호하는 것이다.
19	diplomat 외교관 [dípləmæt]	He hopes to become a good diplomat. 그는 좋은 외교관이 되기를 희망한다.
20	director 감독 [diréktər]	My dream is to become a movie director. 내 꿈은 영화감독이 되는 것이다.
21	guide 안내하다 [gaid]	To guide tourists is my job. 관광객을 안내하는 것이 나의 직업이다.
22	homeless 노숙자들 [hóumlis]	Jenny was sad to see the homeless. Jenny는 노숙자들을 보고 슬펐다.
23	magazine 잡지 [mæ̀gəzí:n]	I can't help reading the magazine. 나는 그 잡지를 읽지 않을 수 없다.
24	protect 보호하다 [prətékt]	He tried to protect his baby. 그는 그의 아기를 보호하려고 했다.
25	raise 올리다 [reiz]	He raised his hand to ask about the field trip. 그는 현장실습에 대해 질문하기 위해 손을 들었다.
26	apology 사과 [əpálədʒi]	Jane decided to accept his apology. Jane은 그의 사과를 받아들이기로 결심했다.
27	chance 기회 [tʃæns]	He had a chance to become an actor. 그는 배우가 될 기회를 가졌다.
28	cure 치료하다 [kjuər]	The herb was so good that it could cure him. 그 약초는 무척 좋아서 그를 치료할 수 있었다.
29	environment 환경 [inváiərənmənt]	It is important to protect our environment. 우리의 환경을 보호하는 것은 매우 중요하다.
30	speech 연설 [spi:tʃ]	He felt bored when he listened to her speech. 그는 그녀의 연설을 들었을 때 지루함을 느꼈다.

Check Up

1 다음 우리말 뜻에 해당하는 영어 단어를 쓰세요.

01 현명하게

02 무고한, 순결한

03 경쟁자

04 수용하다

05 참석하다

06 불가능한

07 실망한

08 해외에

09 물리치다

10 파괴하다

11 약초

12 들어 올리다

13 손실, 사망

14 거절하다

15 믿다, 신뢰하다

2 다음 영어 단어에 해당하는 우리말 뜻을 쓰세요.

01 attend

02 ceremony

03 citizen

04 diplomat

05 director

06 guide

07 homeless

08 magazine

09 protect

10 raise

3 다음 빈칸에 우리말과 일치하도록 알맞은 단어를 쓰세요.

01 Jane decided to accept his _____.
Jane은 그의 사과를 받아들이기로 결심했다.

02 He had a _____ to become an actor.
그는 배우가 될 기회를 가졌다.

03 The herb was so good that it could _____ him.
그 약초는 무척 좋아서 그를 치료할 수 있었다.

04 It is important to protect our _____.
우리의 환경을 보호하는 것은 매우 중요하다.

05 He felt bored when he listened to her _____.
그는 그녀의 연설을 들었을 때 지루함을 느꼈다.

Chapter 2

동명사

01	advantage 이점 [ədvǽntidʒ]	Teaching children at home has a lot of advantages. 아이들을 집에서 가르치는 것에는 많은 이점이 있다.
02	offer 제안, 제공하다 [ɔ́(ː)fər]	Light snacks and beverages will be offered soon. 곧 가벼운 간식과 음료가 제공될 것이다
03	own 자신의 [oun]	His goal is having his own house. 그의 목표는 자기 소유의 집을 갖는 것이다.
04	pale 창백한 [peil]	On hearing the news, she turned pale. 그 소식을 듣자 그녀는 얼굴이 창백해졌다.
05	prepare 준비하다 [pripέər]	Mike is busy preparing for final exams. Mike는 기말고사를 준비 하느라 바쁘다.
06	reply 대답 [riplái]	My sister is looking forward to getting his reply. 내 여동생은 그의 대답을 고대하고 있다.
07	spend 시간을 보내다 [spend] 돈을 쓰다	They spend their free time watching sports on TV. 그들은 여가시간을 TV로 스포츠 보면서 보낸다.
08	waste 낭비하다 [weist]	I have no time to waste. 나는 낭비할 시간이 없다.
09	argue 논쟁하다 [áːrgjuː]	They hate arguing with each other. 그들은 서로 논쟁하는 것을 싫어한다.
10	deny 부인하다, 부정하다 [dinái]	It's no use denying the fact. 그 사실을 부인해도 소용없다.
11	continue 계속하다 [kəntínju(ː)]	It continued to snow for three days. 3일 동안 계속해서 눈이 왔다.
12	practice 연습하다 [prǽktis]	I practice playing the piano every day. 나는 매일 피아노 치는 것을 연습한다.
13	sunbathe 일광욕하다 [sʌ́nbèið]	We often enjoy sunbathing. 우리는 자주 일광욕을 즐긴다
14	gardening 원예, [gáːrdniŋ] 정원 가꾸기	My mother is interested in gardening. 우리 엄마는 원예에 관심이 있으시다.
15	concentrate 집중하다 [kánsəntrèit]	Some people have trouble concentrating. 일부 사람들은 집중하는 데 어려움을 가지고 있다.

16	avoid 피하다 [əvɔ́id]	My mom avoids eating fatty foods. 엄마는 기름진 음식을 먹지 않으려고 하신다.
17	forever 영원히 [fərévər]	She tried to avoid meeting him forever. 그녀는 그를 만나는 것을 영원히 피하기 위해 노력했다.
18	habit 습관 [hǽbit]	Biting your nails is a bad habit. 손톱을 물어뜯는 것은 나쁜 습관이다.
19	health 건강 [helθ]	Eating too much meat is not good for your health. 고기를 너무 많이 먹는 것은 건강에 좋지 않다.
20	laundry 빨래 [lɔ́:ndri]	She didn't mind doing the laundry. 그녀는 빨래하는 것을 꺼려하지 않았다.
21	mistake 실수 [mistéik]	They are worried about making a mistake. 그들은 실수를 할까 봐 걱정을 한다.
22	rest 휴식 [rest]	She took a rest for about 20 minutes. 그녀는 약 20분 동안 휴식을 했다.
23	secret 비밀 [sí:krit]	Please tell me your secret. 나에게 네 비밀을 말해주세요.
24	stage 무대 [steidʒ]	The girl singing on the stage is from Canada. 무대에서 노래를 부르는 그 소녀는 캐나다에서 왔다.
25	support 지원하다 [səpɔ́:rt]	I will continue to support him. 나는 계속 그를 지원할 것이다.
26	contract 계약서 [kántrækt]	He doesn't remember signing the contract. 그는 계약서에 서명한 것을 기억하지 못한다.
27	illegal 불법의 [ilí:gəl]	Crossing the street on a red light is illegal. 빨간 신호에 길을 건너는 것은 불법이다.
28	mind 꺼려하다 [maind]	Would you mind closing the window? 창문을 닫아도 될까요?
29	persuade 설득하다 [pərswéid]	It is no use trying to persuade her. 그녀를 설득해도 소용이 없다.
30	view 경치 [vju:]	They hope to have a room with an ocean view. 그들은 바다 경치가 보이는 방을 갖기를 희망한다.

Check Up

1 다음 우리말 뜻에 해당하는 영어 단어를 쓰세요.

01 이점

02 제안, 제공하다

03 자신의

04 창백한

05 준비하다

06 대답

07 시간을 보내다

08 낭비하다

09 논쟁하다

10 부인하다, 부정하다

11 계속하다

12 연습하다

13 일광욕하다

14 원예, 정원 가꾸기

15 집중하다

② 다음 영어 단어에 해당하는 우리말 뜻을 쓰세요.

01 avoid

02 forever

03 habit

04 health

05 laundry

06 mistake

07 rest

08 secret

09 stage

10 support

③ 다음 빈칸에 우리말과 일치하도록 알맞은 단어를 쓰세요.

01 He doesn't remember signing the _____.
그는 계약서에 서명한 것을 기억하지 못한다.

02 Crossing the street on a red light is _____.
빨간 신호에 길을 건너는 것은 불법이다.

03 Would you _____ closing the window?
창문을 닫아도 될까요?

04 It is no use trying to _____ her.
그녀를 설득해도 소용이 없다.

05 They hope to have a room with an ocean _____.
그들은 바다 경치가 보이는 방을 갖기를 희망한다.

분사

01	amaze 놀라게 하다 [əméiz]	We were amazed at his courage. 우리는 그의 용기에 놀랐다.
02	collect 모으다 [kálekt]	My hobby is collecting stamps. 내 취미는 우표수집이다.
03	confuse 혼란스럽게 하다 [kənfjú:z]	I was confused about the news. 나는 그 뉴스에 대해 혼란스러웠다.
04	direct 감독하다 [dirékt]	He directed this amazing movie. 그가 이 놀라운 영화를 감독했다.
05	injure 상처 입히다 [índʒər]	He is taking care of the lion injured in the jungle. 그는 정글에서 부상당한 사자를 돌보고 있다.
06	pollute 오염되다 [pəljú:t]	The river was polluted by the company. 그 강은 그 회사에 의해 오염되었다.
07	reveal 폭로하다, 밝히다 [riví:l]	He revealed shocking information about his country. 그는 자신의 국가에 대한 놀라운 정보를 폭로했다.
08	though ~일지라도 [ðou]	Though she is short, she is good at playing basketball. 그녀는 비록 키가 작아도 농구를 잘한다.
09	vehicle 차량 [ví:ikl]	We saw the street filled with vehicles. 우리는 자동차로 가득 찬 거리를 보았다.
10	wound 부상당하다 [wu:nd]	He cured the soldiers wounded in the war. 그는 전쟁에서 부상당한 군인들을 치료했다.
11	satisfied 만족해하는 [sǽtisfaid]	Jenny and I were satisfied with the test results. Jenny와 나는 그 시험결과에 만족해했다.
12	advertise 광고하다 [ǽdvərtàiz]	I saw the product advertised on TV. 나는 그 제품이 TV에 광고되는 것을 보았다.
13	depressed (기분이) [diprést] 우울한	The movie made me depressed. 그 영화는 나를 우울하게 했다.
14	shocking 충격적인, [ʃákiŋ] 놀라운	They are looking for a shocking news . 그들은 놀라운 뉴스를 찾고 있다.
15	disappoint 실망시키다 [dìsəpɔ́int]	She was disappointed to fail the test. 그녀는 그 시험에 떨어져서 실망했다.

16	accident 사고 [ǽksidənt]	Going to school, she had a car accident. 그녀는 학교 가면서 교통사고를 당했다
17	appetite 식욕 [ǽpətàit]	Being sick, I lost my appetite. 나는 아파서 식욕을 잃었다.
18	biology 생물학 [baiɑ́lədʒi]	Mr. Brown taught them biology. Brown 씨는 그들에게 생물을 가르쳤다.
19	courage 용기 [kə́:ridʒ]	He showed great courage to the last. 그는 끝까지 위대한 용기를 보여줬다.
20	frozen 냉동된 [fróuzən]	I bought frozen meat yesterday. 나는 어제 냉동된 고기를 샀다.
21	language 언어 [lǽŋgwidʒ]	Learning foreign languages is not easy. 외국어를 배우는 것은 쉽지 않다.
22	scandal 스캔들 [skǽndəl]	We were shocked by the scandal. 우리는 그 스캔들에 경악했다.
23	shake 흔들다 [ʃeik]	Shaking his both legs, he watched TV. 그는 양다리를 흔들면서 TV를 보았다
24	strange 이상한 [streindʒ]	Watching TV, I heard a strange noise. TV를 볼 때 나는 이상한 소음을 들었다.
25	touching 감동적인 [tʌ́tʃiŋ]	Her speech was touching. 그녀의 연설은 감동적이었다.
26	burning 불타는 [bə́:rniŋ]	They ran out of the burning house. 그들은 불타는 집에서 뛰어나왔다.
27	documentary 다큐멘터리 [dàkjəméntəri]	It's an exciting documentary about Africa. 그것은 아프리카에 관한 흥미 있는 다큐멘터리이다.
28	lecture 강의 [léktʃər]	We thought his lecture was boring. 우리는 그의 강의가 지루하다고 생각했다.
29	reaction 반응 [riǽkʃən]	Sara was disappointed with her family's reaction. Sara는 그녀 가족의 반응에 실망했다.
30	situation 상황 [sìtʃuéiʃən]	They tried to end the confusing situation. 그들은 혼란스러운 상황을 끝내려고 했다.

Check Up

1 다음 우리말 뜻에 해당하는 영어 단어를 쓰세요.

01 놀라게 하다

02 모으다

03 혼란스럽게 하다

04 감독하다

05 상처 입히다

06 오염되다

07 폭로하다, 밝히다

08 ~일지라도

09 차량

10 부상당하다

11 만족해하는

12 광고하다

13 (기분이) 우울한

14 충격적인, 놀라운

15 실망시키다

2 다음 영어 단어에 해당하는 우리말 뜻을 쓰세요.

01 accident

02 appetite

03 biology

04 courage

05 frozen

06 language

07 scandal

08 shake

09 strange

10 touching

3 다음 빈칸에 우리말과 일치하도록 알맞은 단어를 쓰세요.

01 They ran out of the _____ house.
그들은 불타는 집에서 뛰어나왔다.

02 It's an exciting _____ about Africa.
그것은 아프리카에 관한 흥미 있는 다큐멘터리이다.

03 We thought his _____ was boring.
우리는 그의 강의가 지루하다고 생각했다.

04 Sara was disappointed with her family's _____.
Sara는 그녀 가족의 반응에 실망했다.

05 They tried to end the confusing _____.
그들은 혼란스러운 상황을 끝내려고 했다.

01	appear 나타나다 [əpíər]	A bus appeared around the corner. 버스 한 대가 모퉁이를 돌아 나타났다.
02	bury 묻다 [béri]	Everything was buried by the eruption. 모든 것이 화산폭발로 매장되었다.
03	invent 발명하다 [invént]	Alexander Bell invented a telephone. Alexander Bell이 전화기를 발명했다.
04	locate 위치하다 [lóukeit]	The hotel is located in the center of the city. 그 호텔은 도시 중심에 위치하고 있다.
05	obey 복종하다 [oubéi]	The game rules should be obeyed by them. 그들에 의해 반드시 게임 규칙이 준수되어야 한다.
06	predict 예언하다, 예측하다 [pridíkt]	People try to predict the weather. 사람들은 날씨를 예측하려 노력한다.
07	release 공개[발표]하다 [rilí:s]	His new album is going to be released next month. 다음 달 그의 새 앨범이 나올 것이다.
08	submit 제출하다 [səbmít]	You must submit your homework. 너는 네 숙제를 제출해야 한다.
09	create 창조하다 [kriéit]	Hangeul was created by King Sejong. 한글은 세종대왕에 의해 창제되었다.
10	display 전시하다 [displéi]	Did the company display the new cars last month? 회사는 지난 달 새 차들을 전시했니?
11	elect 선출하다 [ilékt]	We elected him president. 우리는 그를 대표로 선출했다.
12	unexpected 예기치 않은 [ʌnikspéktid]	The unexpected death of her friend shattered her. 예기치 않은 친구의 죽음은 그녀를 엄청난 충격에 빠뜨렸다.
13	resemble 닮다 [rizémbl]	She resembles her father. 그녀는 아버지를 닮았다.
14	eruption (화산의) 폭발, 분화 [irʌ́pʃən]	The scientist predicted the volcanic eruption. 그 과학자가 화산 폭발을 예언했다.
15	conference 회의, 학회 [kánfərəns]	Mike will be invited to the conference. Mike는 그 회의에 초대될 것이다.

16	arrest 체포하다 [ərést]	The thief was arrested by him. 그 도둑은 그에 의해 체포되었다.
17	committee 위원회 [kəmíti]	The committee may change the rules of the game. 위원회는 경기의 규칙들을 바꿀 수 있다.
18	crowd 군중 [kraud]	Mr. Smith disappeared in the crowd. Smith 씨는 군중 속으로 사라졌다.
19	destroy 파괴하다 [distrɔ́i]	Many buildings were destroyed in a few seconds. 많은 건물이 몇 초 만에 파괴되었다.
20	earthquake 지진 [ə́:rθkwèik]	An earthquake hit the village in 2010. 지진이 2010년에 그 마을을 강타했다.
21	empty 빈 [émpti]	We found the box empty. 우리는 그 상자가 비었다는 것을 알았다
22	exhibition 전시회 [èksəbíʃən]	We are interested in your special exhibition. 우리는 당신의 특별 전시에 관심이 있다.
23	failure 실패 [féiljər]	We were surprised at his failure. 우리는 그의 실패에 놀랐다
24	steal 훔치다 [sti:l]	My wallet was stolen last night. 어젯밤 내 지갑을 도둑맞았다.
25	victim 희생자 [víktim]	They have collected a lot of money for the victims. 그들은 희생자들을 위해 많은 돈을 모금했다.
26	appoint 임명하다 [əpɔ́int]	They did not appoint Jane marketing manager. 그들은 Jane을 마케팅 매니저로 임명하지 않았다
27	behavior 행동 [bihéivjər]	We were surprised at his unexpected behavior. 우리는 그의 느닷없는 행동에 놀랐다.
28	current 현재의 [kə́:rənt]	She is satisfied with her current life. 그녀는 현재 그녀의 삶에 만족해한다.
29	delay 연기하다, 지체하다 [diléi]	The fog did not delay the concert yesterday. 그 안개가 어제 콘서트를 연기시키지 않았다.
30	pollution 오염 [pəljú:ʃən]	People are not worried about air pollution. 사람들은 대기오염에 대해 걱정하지 않는다.

Check Up

1 다음 우리말 뜻에 해당하는 영어 단어를 쓰세요.

01 나타나다

02 묻다

03 발명하다

04 위치하다

05 복종하다

06 예언하다, 예측하다

07 공개[발표]하다

08 제출하다

09 창조하다

10 전시하다

11 선출하다

12 예기치 않은

13 닮다

14 (화산의) 폭발, 분화

15 회의, 학회

01 arrest

02 committee

03 crowd

04 destroy

05 earthquake

06 empty

07 exhibition

08 failure

09 steal

10 victim

③ 다음 빈칸에 우리말과 일치하도록 알맞은 단어를 쓰세요.

01 They did not _____ Jane marketing manager.
그들은 Jane을 마케팅 매니저로 임명하지 않았다.

02 We were surprised at his unexpected _____.
우리는 그의 느닷없는 행동에 놀랐다.

03 She is satisfied with her _____ life.
그녀의 현재 그녀의 삶에 만족해한다.

04 The fog did not _____ the concert yesterday.
그 안개가 어제 콘서트를 연기시키지 않았다.

05 People are not worried about air _____.
사람들은 대기오염에 대해 걱정하지 않는다.

01	complete 완성하다 [kəmplíːt]	This report was completed by Jack. 이 보고서는 Jack에 의해 완성되었다.
02	crash 사고 나다, 충돌하다 [kræʃ]	Tony jumped out of the car before it crashed. Tony는 차가 사고 나기 전에 밖으로 뛰어내렸다.
03	popular 인기 있는 [pápjələr]	This computer game is very popular among teens. 이 컴퓨터게임은 10대들에게 매우 인기가 있다.
04	pour 붓다, (음료를) 따르다 [pɔːr]	Pour the mix to the hot frying pan. 혼합재료를 뜨거운 프라이팬에 부어라.
05	receive 받다 [risíːv]	She was happy to receive a gift from her dad. 그녀는 아버지로부터 선물을 받아 행복했다.
06	trace 추적하다, 따라가다 [treis]	The police traced the call of the criminal. 경찰은 범인의 전화를 추적했다.
07	trade 거래, 무역 [treid]	There is a lot of trade between China and Korea. 중국과 한국 사이에 많은 무역 교역이 있다.
08	expel 퇴학시키다, 쫓아내다 [ikspél]	He was expelled from the school. 그는 학교에서 퇴학당했다.
09	gather 모이다 [gǽðər]	The students gathered around the campfire. 그 학생들은 그 캠프파이어 주변에 모였다.
10	hang 매달리다 [hæŋ]	I don't decide where to hang this painting. 나는 이 그림을 어디에 걸어야 할지 결정하지 못했다.
11	graduate 졸업하다 [grǽdʒueit]	Ann left her hometown after she graduated from a high school. Ann은 고등학교를 졸업한 후 그녀의 고향을 떠났다.
12	medical 의료의 [médikəl]	My sister completed medical school. 누나가 의대를 졸업했다.
13	project 프로젝트 [prádʒekt]	We can't finish the project without his help. 우리는 그의 도움 없이 그 프로젝트를 끝낼 수 없다
14	subway 지하철 [sʌ́bwèi]	He went to the museum by subway. 그는 지하철로 그 박물관에 갔다.
15	emergency 비상 (사태) [imə́ːrdʒənsi]	She took me to the emergency medical station. 그녀는 나를 응급센터로 데려갔다.

16	contest 대회 [kántest]	The dance contest will be held next month. 춤 경연대회가 다음달 열릴 것이다.
17	difference 차이 [dífərəns]	You can see the difference between the two paintings. 너는 두 그림의 차이점을 볼 수 있다.
18	essay 에세이 [ései]	Please hand in your essay before May 15. 5월 15일 전까지 에세이를 제출하세요.
19	foreigner 외국인 [fɔ́(:)rinər]	The singer is known to many foreigners. 그 가수는 많은 외국 사람들에게 알려져 있다.
20	future 미래 [fjú:tʃər]	What do you want to be in the future? 너는 미래에 무엇이 되고 싶니?
21	present 선물 [prézənt]	Tom was happy to receive the present. Tom은 선물을 받아서 기뻤다.
22	route 길 [ru:t]	We traced the route on the map. 우리는 지도 위에 나 있는 그 길을 따라갔다.
23	souvenir 기념품 [sù:vəníər]	She bought a souvenir for her son. 그녀는 아들을 위해 기념품을 샀다.
24	submarine 잠수함 [sʌ̀bmərí:n]	The submarine can stay under water for a long time. 그 잠수함은 오랫동안 잠수할 수 있다.
25	vacation 방학 [veikéiʃən]	Jack studied English during winter vacation. Jack은 겨울방학 동안 영어를 공부했다.
26	behave 행동하다 [bihéiv]	Don't behave like a little boy. 어린 소년처럼 행동하지 마라.
27	culture 문화 [kʌ́ltʃər]	He visited Seoul to study Korean culture. 그는 한국 문화를 연구하기 위해 서울을 방문했다.
28	education 교육 [èdʒukéiʃən]	Only men received an education in the past. 과거에는 오직 남성만 교육을 받았다.
29	professional 전문적인 [prəféʃənəl]	They look like professional baseball players. 그들은 프로야구선수들처럼 보인다.
30	rumor 소문 [rú:mər]	Mike heard about the rumor from his mother. Mike는 그 소문에 대해 그의 어머니로부터 들었다.

Check Up

1 다음 우리말 뜻에 해당하는 영어 단어를 쓰세요.

01 완성하다

02 사고 나다, 충돌하다

03 인기 있는

04 붓다, (음료를) 따르다

05 받다

06 추적하다, 따라가다

07 거래, 무역

08 퇴학시키다, 쫓아내다

09 모이다

10 매달리다

11 졸업하다

12 의료의

13 프로젝트

14 지하철

15 비상 (사태)

2 다음 영어 단어에 해당하는 우리말 뜻을 쓰세요.

01 contest

02 difference

03 essay

04 foreigner

05 future

06 present

07 route

08 souvenir

09 submarine

10 vacation

3 다음 빈칸에 우리말과 일치하도록 알맞은 단어를 쓰세요.

01 Don't _____ like a little boy.
어린 소년처럼 행동하지 마라.

02 He visited Seoul to study Korean _____.
그는 한국 문화를 연구하기 위해 서울을 방문했다.

03 Only men received an _____ in the past .
과거에는 오직 남성만 교육을 받았다.

04 They look like _____ baseball players.
그들은 프로야구선수들처럼 보인다.

05 Mike heard about the _____ from his mother.
Mike는 그 소문에 대해 그의 어머니로부터 들었다.

Chapter 6

접속사

01	bother 괴롭히다 [báðər]	Stop bothering me while I'm reading a book. 내가 책을 읽을 동안에는 괴롭히지 마라.
02	breath (한 번 들이쉬는) [breθ]　숨	Entering the building, she took a deep breath. 건물에 들어가면서 그녀는 심호흡을 했다.
03	nervous 긴장한 [nə́:rvəs]	Peter was so nervous that he couldn't sleep. Peter는 너무 긴장을 해서 잠을 자지 못했다.
04	punish 벌을 주다 [pʌ́niʃ]	You will be punished if you do it again. 다시 이 일을 저지를 경우 너는 처벌받을 것이다.
05	quality 제품의 질 [kwáləti]	This shirt is very cheap, but its quality is good. 이 셔츠는 저렴하지만 품질이 좋다.
06	ripen 익다 [ráipən]	The fruits do not smell until they begin to ripen. 그 열매는 익기 시작할 때까지 냄새가 나지 않는다.
07	seatbelt 좌석벨트 [si:tbelt]	The pilot turns off the seatbelt sign. 조종사가 안전벨트 사인을 끈다.
08	stunned 놀란 [stʌnd]	Tom was stunned when he heard the news. Tom은 그 소식을 들었을 때 깜짝 놀랐다.
09	vacancy (호텔 등의) [véikənsi] 빈 방[객실]	I am sorry, but we have no vacancy. 죄송합니다만, 빈방이 없습니다.
10	fasten 매다, 잠그다 [fǽsən]	Please fasten your seat seatbelt. 안전벨트를 착용하세요.
11	further 더, 더 나아가 [fə́:rðər]	You may go home unless you have further questions. 더 이상 질문이 없으면 너는 집에 가도 된다.
12	greasy 기름기 있는 [grí:si]	You have to cut down on greasy foods. 너는 기름진 음식을 줄여야 한다.
13	despite ~에도 불구하고 [dispáit]	Despite his effort, he couldn't pass the test. 그의 노력에도 불구하고 그는 시험에 떨어졌다.
14	improve 개선하다 [imprú:v]	You can't improve your English skill if you keep using Korean. 계속 한국말을 하면 너는 영어실력을 향상시킬 수 없다
15	talkative 말이 많은, [tɔ́:kətiv]　수다스러운	As she grew older, she became talkative. 그녀는 나이가 들면서 말이 많아졌다.

16	apologize 사과하다 [əpálədʒàiz]	She will apologize to him. 그녀는 그에게 사과할 것이다.
17	alone 혼자 [əlóun]	I can't move this box alone. 나는 이 상자를 혼자서 옮길 수 없다.
18	cancer 암 [kǽnsər]	Unless you stop smoking, you will get cancer. 담배를 끊지 않으면, 너는 암에 걸릴 것이다.
19	championship 우승 [tʃǽmpiənʃìp]	We failed to win the championship. 우리는 우승을 하지 못했다.
20	deliver 배달하다 [dilívər]	I will deliver newspapers until I'm 60 years old. 나는 60살까지 신문을 배달할 것이다.
21	drugstore 약국 [drʌ́gstɔ̀:r]	You will find the drugstore on the corner. 모퉁이에서 너는 그 약국을 찾을 것이다.
22	effort 노력 [éfərt]	We need to make an effort to finish on time. 우리는 제 시간에 끝낼 수 있도록 노력해야 한다.
23	nightmare 악몽 [náitmɛ̀ər]	I had a nightmare, so I couldn't sleep well. 나는 악몽을 꾸어서 잠을 잘 자지 못했다.
24	trial 재판 [tráiəl]	They couldn't meet their friends until the trial was over. 그들은 재판이 끝날 때까지 친구들을 만나지 못했다.
25	vegetarian 채식주의자 [vèdʒitɛ́(:)əriən]	Amy doesn't eat meat, because she is a vegetarian. Amy는 고기를 먹지 않는다, 왜냐하면 그녀는 채식주의자이다.
26	accept 받아들이다 [əksépt]	We decided to accept his offer. 우리는 그의 제안을 받아드리기로 했다
27	burglar 도둑 [bə́:rglər]	Lock the door, or a burglar will break in. 문을 잠가라, 그렇지 않으면 도둑이 들어올 것이다.
28	fluently 유창하게 [flú(:)əntli]	Both he and I can speak English fluently. 그와 나 둘 다 영어를 유창하게 할 수 있다.
29	healthy 건강한 [hélθi]	You have to avoid drinking soda to stay healthy. 건강을 유지하기 위해서는 탄산음료 마시는 것을 피해야 한다.
30	medicine 약 [médisin]	I forgot to take the medicine this morning. 나는 아침에 약 먹는 것을 잊었다

Check Up

1 다음 우리말 뜻에 해당하는 영어 단어를 쓰세요.

01 괴롭히다

02 (한 번 들이쉬는) 숨

03 긴장한

04 벌을 주다

05 제품의 질

06 익다

07 좌석벨트

08 놀란

09 (호텔 등의) 빈 방[객실]

10 매다, 잠그다

11 더, 더 나아가

12 기름기 있는

13 ~에도 불구하고

14 개선하다

15 말이 많은, 수다스러운

2 다음 영어 단어에 해당하는 우리말 뜻을 쓰세요.

01 apologize

02 alone

03 cancer

04 championship

05 deliver

06 drugstore

07 effort

08 nightmare

09 trial

10 vegetarian

3 다음 빈칸에 우리말과 일치하도록 알맞은 단어를 쓰세요.

01 We decided to _____ his offer.
우리는 그의 제안을 받아드리기로 했다

02 Lock the door, or a _____ will break in.
문을 잠가라, 그렇지 않으면 도둑이 들어올 것이다.

03 Both he and I can speak English _____.
그와 나 둘 다 영어를 유창하게 할 수 있다.

04 You have to avoid drinking soda to stay _____.
건강을 유지하기 위해서는 탄산음료 마시는 것을 피해야 한다.

05 I forgot to take the _____ this morning.
나는 아침에 약 먹는 것을 잊었다.

Chapter 01. to부정사

❶ 01. wisely 02. innocent 03. competitor 04. accommodate
05. participate 06. impossible 07. disappointed 08. abroad
09. beat 10. destroy 11. herb 12. lift
13. loss 14. refuse 15. trust

❷ 01. 참석하다 02. 의식 03. 시민 04. 외교관
05. 감독 06. 안내하다 07. 노숙자들 08. 잡지
09. 보호하다 10. 올리다

❸ 01. apology 02. chance 03. cure 04. environment
05. speech

Chapter 02. 동명사

❶ 01. advantage 02. offer 03. own 04. pale
05. prepare 06. reply 07. spend 08. waste
09. argue 10. deny 11. continue 12. practice
13. sunbathe 14. gardening 15. concentrate

❷ 01. 피하다 02. 영원히 03. 습관 04. 건강
05. 빨래 06. 실수 07. 휴식 08. 비밀
09. 무대 10. 지원하다

❸ 01. contract 02. illegal 03. mind 04. persuade
05. view

Chapter 03. 분사

❶ 01. amaze 02. collect 03. confuse 04. direct
05. injure 06. pollute 07. reveal 08. though
09. vehicle 10. wound 11. satisfied 12. advertise

13. depressed   14. shocking   15. disappoint

❷ 01. 사고   02. 식욕   03. 생물학   04. 용기
05. 냉동된   06. 언어   07. 스캔들   08. 흔들다
09. 이상한   10. 감동적인

❸ 01. burning   02. documentary   03. lecture   04. reaction
05. situation

Chapter 04. 수동태

❶ 01. appear   02. bury   03. invent   04. locate
05. obey   06. predict   07. release   08. submit
09. create   10. display   11. elect   12. unexpected
13. resemble   14. eruption   15. conference

❷ 01. 체포하다   02. 위원회   03. 군중   04. 파괴하다
05. 지진   06. 빈   07. 전시회   08. 실패
09. 훔치다   10. 희생자

❸ 01. appoint   02. behavior   03. current   04. delay
05. pollution

Chapter 05. 전치사

❶ 01. complete   02. crash   03. popular   04. pour
05. receive   06. trace   07. trade   08. expel
09. gather   10. hang   11. graduate   12. medical
13. project   14. subway   15. emergency

❷ 01. 대회   02. 차이   03. 에세이   04. 외국인
05. 미래   06. 선물   07. 길   08. 기념품
09. 잠수함   10. 방학

❸ 01. behave   02. culture   03. education   04. professional
05. rumor

Chapter 06. 접속사

① 01. bother   02. breath   03. nervous   04. punish
05. quality   06. ripen   07. seatbelt   08. stunned
09. vacancy   10. fasten   11. further   12. greasy
13. despite   14. improve   15. talkative

② 01. 사과하다   02. 혼자   03. 암   04. 우승
05. 배달하다   06. 약국   07. 노력   08. 악몽
09. 재판   10. 채식주의자

③ 01. accept   02. burglar   03. fluently   04. healthy
05. medicine

Longman

GRAMMAR
MENTOR
JOY

롱맨
그래머
멘토
조이
시리즈

Grammar mentor Joy Pre
Grammar Mentor Joy Early Start 1
Grammar Mentor Joy Early Start 2
Grammar mentor Joy Start 1
Grammar mentor Joy Start 2
Grammar mentor Joy 1
Grammar mentor Joy 2
Grammar mentor Joy 3
Grammar mentor Joy 4
Grammar mentor Joy plus 1
Grammar mentor Joy plus 2
Grammar mentor Joy plus 3
Grammar mentor Joy plus 4

최신개정판
400만부 돌파
롱맨 JOY
시리즈